Über das Buch:

Mit seinem ersten Buch gelang Bastian Sick ein kleines Wunder. Plötzlich lasen viele Menschen über Interpunktion, den korrekten Plural oder guten Stil im Deutschen. Gleichzeitig gewannen sie neues Vertrauen in das eigene Sprachgefühl. Doch längst sind nicht alle Fragen beantwortet und alle Probleme gelöst. Und schaut man genau hin, ist nicht nur der Dativ dem Genitiv sein Tod, sondern es verschwinden noch mehr Fälle – »beim Schönheitschirurg und auch beim US-Präsident«.

Natürlich möchte man die Dinge auch nicht schwarzmalen. Halt, heißt es nicht schwarz malen? Manches lässt einen verzweifeln, und manchmal bleibt es ein Zweifelsfall der deutschen Sprache. Bastian Sick geht vielen dieser kleinen und großen Sprachvergehen nach und macht sich so seine Gedanken über das gefühlte Komma, den traurigen Konjunktiv und den geschundenen Imperativ. Und vor allem beantwortet er in diesem Band viele Fragen seiner Leser.

Mit großem Deutsch-Test!

Der Autor:

Bastian Sick, geboren 1965, Studium der Geschichtswissenschaft und Romanistik, Tätigkeit als Lektor und Übersetzer; von 1995–1998 Dokumentationsjournalist beim SPIEGEL-Verlag, ab 1999 Mitarbeiter der Redaktion von SPIEGEL ONLINE. Seit Mai 2003 dort Autor der Sprachkolumne »Zwiebelfisch«.

Bastian Sick

Der Dativ ist dem Genitiv sein Tod

Folge 2

Neues aus dem Irrgarten
der deutschen Sprache

Kiepenheuer & Witsch

1. Auflage 2005

Umschlaggestaltung: Barbara Thoben, Köln
Umschlagfoto: © Sabrina Rothe, Köln
Autorenfoto: © www.zitzlaff.com
Gesetzt aus der DTL Documenta und der Meta Plus
Satz: Greiner & Reichel, Köln
Druck und Bindung: Clausen & Bosse, Leck
ISBN 3-462-03606-8

Meiner Familie gewidmet

meiner Mutter Angelika Sick
meiner Großmutter Friedel Onnasch (»Muscha«)
meinen Schwestern Bettina Sick-Folchert und Anja Farries
meiner Tante Dr. Christel Waßmund
meiner Cousine Klaudia Onnasch und meinem
Cousin Dr. Ernst-Otto Onnasch
meinen Schwägern Jens Folchert und Björn Farries
sowie meiner fabelhaften Nichte Anna-Maria Folchert
und meinen famosen Neffen Benno Farries, Justus Folchert,
Nils Folchert, Jesper Farries und Hannes Farries – und ganz
besonders meinem großartigen Patensohn Joscha Farries

»Ohana means family – family means
nobody gets left behind or forgotten.«
(»Lilo and Stitch«)

In Gedenken an meinen Vater

Bernhard Sick
(1933–1984)

Inhalt

Liebe Leserinnen und Leser   13
Wir gedenken dem Genitiv   19
Klopft man an der Tür oder an die Tür?   23
Das Imperfekt der Höflichkeit   25
Imperfekt oder Präteritum   29
Dem Wahn Sinn eine Lücke   32
Wie steigert man »doof«?   37
Wir Deutsche oder wir Deutschen?   39
Liebe Verwandte oder liebe Verwandten?   43
Fress oder sterbe!   44
Nun fei(e)r(e) mal schön!   49
Das gefühlte Komma   50
Woher stammt das Wort »Puff«?   55
Einmal kurz schneiden, aber bitte nicht
zu kurz schneiden!   56
Alptraum oder Albtraum?   62
Kasus Verschwindibus   64
Beugt sich der Herr zum Herrn oder zum Herren?   70
Der angedrohte Wille   72
Am Montag, dem oder den?   76
Der traurige Konjunktiv   77
Papierhaft oder papieren?   82
Er steht davor, davor, davor – und nicht dahinter   84
Warum ist der Rhein männlich und die Elbe weiblich?   87
Falsche Freunde   89
Wo beginnt der Mittlere Osten?   94
(K)ein Name für diese Dekade   96
Warum heißt der Samstag auch Sonnabend?   100
Ex und hopp   102
Nur keine Torschusspanik!   106
Sie oder sie – du musst Dich entscheiden   107

Kein Halten mit Halt? 112

Der große Spaß mit das und dass 113

Vierzehntäglich oder vierzehntägig? 118

Nur von Montag's bis Sonntag's 120

Wie lang und breit ist Mecklenburg? 124

Und täglich berichten die Kreise 126

Provozierend provokant 131

Die maßlose Verbreitung des Mäßigen 132

Wie nennt man das Ding an der Kasse? 136

Von der deutschlandweiten Not,
amerikafreundlich zu sein 138

Grammatischer Radbruch 144

Hier werden Sie geholfen! 145

Der gekaufte Schneid 149

Die Sauna ist angeschalten! 150

Zum Eingefrieren ungeeignet? 155

Weil das ist ein Nebensatz 157

Das Rätsel des Steinhuder Meeres 161

Nach oben hinauf und von oben herunter 162

Von solchen und anderen Sanktionen 168

Was vom Apfel übrig blieb 170

Fünf Wörter auf -nf 176

Ein ums nächste Mal 178

Adventslichter in der Adventzeit 182

Wie die Sprache am Rhein am Verlaufen ist 183

Die Place, die Gare, die Tour? 187

Sprichwörtlich in die Goldschale gelegt 189

Wie die Faust aufs Auge 195

Krieg den Häkchen: Episode »2« – die »Rückkehr« 197

Thema »Rente« oder Thema Rente 203

Das Wörtchen »als« im falschen Hals 205

Gibt es das Wort »ebend«? 209

Wo lebt Gott eigentlich heute? 210

Kommt »ausgepowert« aus dem Französischen? 213

Der Pabst ist tod, der Pabst ist tod!   215

Vom Zaubermann zur Zauberfrau   220

Lauter Erbauliches über laut   221

Wie baut man einen Türken?   224

Weltsprache Deutsch   226

E-Mail for you   230

  Sinn und Nutzen der Betreffzeile   232

  Anrede und Signatur   233

  Re: AW: Re: AW: Re: AW: Anfrage!   235

  Schöne bunte HTML-Welt!   237

  Abkürzungen   239

  Rechtschreibung und Zeichensetzung   242

  Der Vertraulichkeitshinweis   244

  Fazit   246

Zwiebel-Test: Wie gut ist Ihr Deutsch?   248

Stichwortregister   266

Liebe Leserinnen und Leser

Ring frei für die zweite Runde im Kampf des Genitivs gegen den Dativ! Auch in diesem Buch geht es wieder um die Wunder der Grammatik, vor allem um die blauen Wunder, die man mit ihr erleben kann. Es geht um gefühlte Kommas, um verschwundene Fälle, um den traurigen Konjunktiv und den geschundenen Imperativ. Doch das ist längst nicht alles.

Wie schon die erste Folge des »Dativs«, der »dem Genitiv sein Tod« ist, stellt auch dieses Buch keine systematische Sprachbetrachtung dar. Schließlich handelt es sich um eine Kolumnensammlung, und Kolumnen folgen keinem »großen Plan«; sie entstehen aufgrund von persönlichen Beobachtungen des Alltags, sie können auch aus Wünschen und Anregungen von Freunden, Kollegen oder Lesern hervorgehen und sind nicht selten das Ergebnis einer spontanen Eingebung. Wer ein klassisches Nachschlagewerk erwartet, ist mit den Grammatik- und Stilbüchern aus dem Hause Duden oder Wahrig besser beraten. Mir liegt es eher, kurzweilige Geschichten zu erzählen, die ein helles Streiflicht auf die Vielseitigkeit der deutschen Sprache werfen.

In meinen Texten geht es nicht immer nur um »richtig« oder »falsch«. Manchmal gilt es, eine Erklärung dafür zu finden, warum wir so sprechen, wie wir sprechen. Und manchmal begebe ich mich auch einfach auf die Suche nach einem Begriff für eine alltägliche Sache, für die es kein Wort zu geben scheint, so wie für das Ding an der Supermarktkasse oder für das Jahrzehnt, in dem wir leben. Oder ich sammle Dutzende verschiedener Begriffe für ein und dieselbe Sache, so wie in dem Kapitel »Was vom Apfel übrig blieb«.

Wer der Meinung ist, dass der ständige Einsatz für korrektes Deutsch »die reinste Syphilisarbeit« sei, der wird in dem

Kapitel »Sprichwörtlich in die Goldschale gelegt« auf seine Kosten kommen; darin geht es um verdrehte Redewendungen, und die Lektüre führt unweigerlich zu der Erkenntnis: Reden ist Schweigen, Silber ist Gold.

Eine andere Kolumne widmet sich den sogenannten falschen Freunden, denen wir teils lustige, teils lästige Übersetzungsfehler zu verdanken haben. Natürlich ist auch die Rechtschreibreform wieder ein Thema, die die Logik auf dem Gebiet der Zusammen- und Getrenntschreibung »lahm gelegt« hat, weshalb sich immer mehr Menschen wünschen, die Reform möge komplett »stillgelegt« werden.

Da das Medium E-Mail in unserer Gesellschaft eine immer wichtigere Rolle spielt, fasst ein größeres Kapitel die damit verbundenen Probleme zusammen. Es ist eine Art Leitfaden, der freilich auf ganz persönlichen Erfahrungen und Vorstellungen beruht und daher nicht als allgemein verbindliche Etikette, sondern nur als Empfehlung anzusehen ist – wie übrigens die meisten meiner Texte auch. Die von mir postulierten Thesen zum elektronischen Briefverkehr muss nicht jeder teilen, schließlich wird das Medium nicht von allen auf dieselbe Weise genutzt, und ich maße mir nicht an, Richtlinien für den privaten Schriftwechsel oder für die schnelle firmeninterne Kommunikation zwischen Kollegen aufzustellen.

Sollte am Ende jemand einwenden, dass die Themen, mit denen sich dieses Buch befasst, nicht neu seien und dass sich vor mir schon viele andere Autoren über guten Stil und korrektes Deutsch Gedanken gemacht hätten, so werde ich ihm nicht widersprechen. Das kann aber kein Grund sein, deswegen nicht mehr über Sprache zu schreiben. Denn wie Goethe schon sagte: »Man muss das Wahre immer wiederholen, weil auch der Irrtum um uns her immer wieder gepredigt wird.«

Übrigens hätte ich nie gedacht, wie schwer es ist, ein Buch

herzustellen, das tatsächlich fehlerfrei ist. Jedes neu erscheinende Buch enthalte Fehler, hatte meine Lektorin mir gesagt, selbst wenn es noch so gründlich durchgekämmt worden sei. Nimmt man eine Korrektur am Satzanfang vor, schleicht sich am Satzende prompt ein neuer Fehler ein. Ich wollte ihr erst nicht glauben, musste aber erfahren, dass sie Recht behielt (Lektoren behalten immer Recht) – »Der Dativ ist dem Genitiv sein Tod« enthielt tatsächlich Fehler, mehr als einen sogar. Fehler in einem Buch, in dem es um korrektes Deutsch geht, sind natürlich besonders irritierend. Aber ich habe nie den Anspruch erhoben, ein Ritter der Sprache ohne Fehl und Tadel zu sein. Auch ich vertippe mich beim Schreiben, habe nicht immer auf jede Frage gleich eine passende Antwort parat, muss oft in einem Wörterbuch nachschlagen, mich selbst korrigieren, meine Meinung revidieren. Gerade das aber macht meine Arbeit für mich so reizvoll: dass ich selbst ständig Neues erfahre und hinzulerne. Das betrifft vor allem das weite Gebiet der deutschen Dialekte – hier gibt es unendlich viel zu entdecken, hier wird das »Abenteuer deutsche Sprache« erst richtig spannend.

Auch in diesem Buch wird bestimmt der eine oder andere Fehler stecken. Wenn Sie einen entdecken, dann betrachten Sie ihn wie ein Osterei, das mit Absicht versteckt worden ist, damit Sie es finden.

Der große Erfolg des ersten Bandes hat nicht nur den Autor gewaltig überrascht. Auch die Presse registrierte mit Staunen, dass das Thema Sprachkultur in Deutschland immer noch überaus populär ist. Immer noch oder seit neuestem wieder, darüber wird noch debattiert. Einige Feuilletonisten und Gesellschaftskritiker glauben einen neuen Trend auszumachen, eine Art Gegenbewegung zur Unkultur der deutschen Fernsehunterhaltung. Es wäre sehr erfreulich, wenn das zuträfe. »Der Dativ ist dem Genitiv sein Tod« hat zumindest bewiesen, dass es heute nicht nur Bücher, in denen Popstars mit ihren Kollegen und Ex-Geliebten abrechnen, in die Sachbuch-Bestsellerlisten schaffen.

Dass gerade auch junge Menschen wieder ein starkes Interesse an ihrer Muttersprache haben, erfahre ich aus zahlreichen Zuschriften von Schülern, die mir mitteilen, dass sie meine Texte im Deutschunterricht durchgenommen haben. Im Saarland wird »Der Dativ ist dem Genitiv sein Tod« in diesem Schuljahr sogar als offizielles Lehrbuch eingesetzt.

Eine mir häufig gestellte Frage lautet, wie ich denn zum Kolumnenschreiben gekommen sei. Tatsächlich war dies die Folge einer Reihe glücklicher Fügungen. Eigentlich hatte alles ganz unspektakulär begonnen: Im Rahmen meiner Tätigkeit als Dokumentar und Korrekturleser in der Redaktion von SPIEGEL ONLINE verfasste ich gelegentlich kleine Memos mit Hinweisen auf besonders heiße Fehlerquellen, die ich dann per E-Mail an meine Kollegen verschickte. Damit diese Mails auch gelesen und nicht gleich gelöscht wurden, würzte ich meine Anmerkungen mit einer feinen Prise Humor. Das gefiel meinem Chef so sehr, dass er mich eines Tages fragte, ob ich nicht Lust hätte, eine Kolumne zu schreiben: Wenn die Kollegen über meine Texte schmunzeln könnten, dann könnten es die Leser von SPIEGEL ONLINE auch. Warum nicht, erwiderte ich, lassen wir es auf einen Versuch ankommen. Und so wurde der »Zwiebelfisch« geboren. Aus dem Versuch ist inzwischen eine feste Einrichtung geworden, und seit Februar dieses Jahres erscheint der »Zwiebelfisch« auch in der monatlichen Kulturbeilage des gedruckten »Spiegels«.

Mit E-Mails hatte also alles begonnen. Und mit E-Mails ging es weiter, denn die Leser meiner Kolumne schrieben mir ihre Wünsche, teilten mir ihre Meinung mit, lieferten mir Anregungen für weitere Kolumnen und schickten mir Fundstücke: Screenshots von Internetseiten mit kuriosen Rechtschreib- und Grammatikfehlern, Fotos von lustigen

Schildern oder Scans von Werbeprospekten und Zeitungs-
artikeln. Und sie bombardierten mich mit Fragen: Fragen
zur Grammatik, zur Schreibweise bestimmter Wörter, zur
Bedeutung von Redewendungen und zur Herkunft von
Sprichwörtern. Einige dieser Fragen habe ich für dieses Buch
ausgewählt und sie zusammen mit der jeweiligen Antwort
zwischen die einzelnen Kolumnen gestellt, um die Struktur
des Buches etwas aufzulockern. Mit ihren Fragen, Anregungen und Wünschen haben die Leser dafür gesorgt, dass diese zweite Folge des »Dativs« nicht nur ein Lesebuch, sondern
auch ein Leserbuch geworden ist. Und ich möchte die Gelegenheit nutzen, mich hier bei allen zu bedanken, für die vielen E-Mails, die mich Woche für Woche erreichen, sowie für
die zum Teil seitenlangen Briefe, die ich per Post bekommen
habe. Einige Leser haben mir selbstverfasste Gedichte geschickt, sogar Bücher und Manuskripte. Ihnen allen möchte
ich an dieser Stelle danken, aber genauso auch denjenigen,
die mir bei einer persönlichen Begegnung gesagt haben, dass
mein Buch sie zum Lachen gebracht habe. Eine schönere Bestätigung meiner Arbeit kann ich mir nicht wünschen.

Ich möchte auch meinen Kollegen von SPIEGEL ONLINE
danken, die mich mit Ideen, Ratschlägen und technischen
Meisterleistungen unterstützt haben und es immer noch tun.
Mein besonderer Dank gilt dem Hause KiWi, das den Mut
besaß, eine Internet-Kolumne zwischen Buchdeckel zu pres-
sen, und das dem »Zwiebelfisch« dadurch Flügel verlieh.

Damit genug der einleitenden Worte. Tauchen Sie nun mit
mir in die Tiefen unserer Sprache, wo glitzernde Schwärme
von Zwiebelfischen und viele andere kuriose Unterwasser-
geschöpfe schon darauf warten, von uns entdeckt und be-
staunt zu werden.

Bastian Sick
Hamburg, im August 2005

Wir gedenken dem Genitiv

Der Genitiv gerät zusehends aus der Mode. Viele sind *ihn* überdrüssig. Dennoch hat er in unserer Sprache seinen Platz und seine Berechtigung. Es kann daher nicht schaden, sich *seinem* korrekten Gebrauch zu erinnern. Sonst wird man *dem* Problem irgendwann nicht mehr Herr und kann *dem* zweiten Fall nur noch wehmütig gedenken.

»Am Sonntag wird in Kampehl dem 354. Geburtstag von Ritter Kahlbutz mit einem Konzert gedacht«, meldete eine Berliner Tageszeitung am 3. März. Ich wusste zwar bis zu diesem Tage nicht, wo Kampehl liegt, und ich hatte auch keinen blassen Schimmer, wer Ritter Kahlbutz war. Immerhin aber wusste ich, dass Ritter Kahlbutz nicht der Ritter von der traurigen Gestalt war. Der nämlich kämpfte einst in Spanien gegen Windmühlen. Unser Ritter Kahlbutz hingegen scheint von der Presse nachträglich zum »Ritter von dem degenerierten Genitiv« stilisiert zu werden. Weswegen »ihm« ja auch gedacht werden muss.

Inzwischen habe ich mich natürlich schlau gemacht: Ritter Christian Friedrich von Kahlbutz lebte von 1651 bis 1702 im brandenburgischen Kampehl. 1690 war er des Totschlags angeklagt, erwirkte jedoch mittels eines Reinigungseides einen Freispruch. Vor Gericht soll er gesagt haben, wenn er »der Mörder dennoch gewesen sein soll, so wolle er nicht verwesen!« Fast hundert Jahre nach seinem Tod fand man in der Gruft seine Mumie – und damit den Beweis für den Meineid. Die deutsche Sagenwelt ist seitdem um eine schaurig-schöne Geschichte reicher, und das beschauliche Dorf Kampehl hat eine Touristenattraktion ersten Ranges. Die deutsche Grammatik indes hat ein Problem – und zwar immer dann, wenn *dem Ritter* gedacht wird. Denn »gedenken« ist eines der (wenigen) deutschen Verben, die ein Genitivobjekt nach sich ziehen. Daher muss es richtig heißen: Es wird des Ritters gedacht. Oder wenigstens seines Geburtstages. In Abwandlung einer bekannten Werbekampagne für einen großen deutschen Fernsehsender ließe sich hier feststellen: Mit dem Zweiten klingt es besser!

Schauplatzwechsel: Im Februar 2005 fand in Magdeburg eine Kundgebung von Neonazis statt. Die Demonstranten trugen ein Spruchband vor sich her, auf dem zu lesen stand: »Wir gedenken den Opfern des alliierten Holocaust«. Da wird sich nicht nur mancher Lehrer spontan gedacht haben: »Geht erst mal nach Hause und macht eure Schulaufgaben!« Falsches Deutsch auf einem Spruchband einer von dümmlicher Deutschtümelei besoffenen Splittergruppe wirkt freilich besonders absurd. Doch die Herren Neonazis sind bei weitem nicht die Einzigen, die »dem« Genitiv nicht mehr mächtig sind.

Die Presse trägt nicht unwesentlich zur Verbreitung des Eindrucks bei, dass der Genitiv vom sprachlichen Spielfeld ausgewechselt und auf die Reservebank geschickt werden soll. »Als am Mittwoch der Bundestag seinem früheren Präsidenten Hermann Ehlers gedachte, hielt auch Merkel eine Rede«, konnte man auf einer Internet-Nachrichtenseite lesen. Bleibt nur zu hoffen, dass wenigstens Angela Merkel in ihrer Rede des Verstorbenen im richtigen Fall gedachte.

Auch das »Herr werden« ist eine verbale Konstruktion, in der der Genitiv (noch) herrscht, aber immer häufiger vom Dativ verdrängt wird. Als die Stadt Bern drastische Maßnahmen zur Bekämpfung einer Krähenplage beschloss, schrieb eine Hamburger Boulevardzeitung: »Um dem lauten Gekrächze und all dem Dreck Herr zu werden, setzt die Stadt nun rote Laserstrahlen gegen die schwarzen Vögel ein.« Eine andere große Tageszeitung rätselte nach der Flutkatastrophe in Südostasien darüber, »wie man dem Chaos Herr werden kann«. Und auch der »Spiegel« scheint den Genitiv für altmodisch zu halten. In einem Artikel über Rechtsextremismus war zu lesen: »PDS-Fraktionschef Peter Porsch glaubt nur noch mit einem erneuten Verbot dem Problem Herr zu werden.« Nicht erst seitdem zerbrechen sich Genitiv-Freunde den Kopf darüber, wie man des Problems hinter dem Herrwerden noch Herr werden kann.

»Sich einer Sache annehmen« ist ein weiterer Fall. »Die Stadt braucht einen Stadtbaumeister, der sich dem Thema Baukultur annehmen soll«, forderte eine Kölner Tageszeitung. Immerhin besaß sie die Größe, wenige Tage später einen Leserbrief abzudrucken, in dem ein entrüsteter Leser forderte, die Zeitung solle sich »endlich mal wieder des Genitivs annehmen«.

Übrigens wurde einst sogar das Verb »vergessen« mit dem Genitiv gebildet. Das kann man heute noch an dem schönen Wort »Vergissmeinnicht« erkennen, das eben nicht »Vergissmichnicht« heißt. Aber der Genitiv hinter »vergessen« geriet in Vergessenheit. Nomen est omen. Allein das Blümchen ist geblieben und hält trotzig die Erinnerung an den Genitiv wach. Wenn Sie das nächste Mal einen Strauß Vergissmeinnicht bekommen, dann halten Sie kurz inne und gedenken Sie des Genitivs!

Und während ich hier sitze und mich gedanklich der Sache des zweiten Falles annehme, schaut mein lieber Kollege Gerald zur Tür herein und sagt mit einem breiten Grinsen: »Wenn du meinen Rat hören willst: Genitiv ins Wasser, denn es ist Dativ!« (»Geh nie tief ins Wasser, denn es ist da tief!«) Voll des Dankes ob dieses erbaulichen Spruchs blecke ich die Zähne und grinse zurück.

Statt ins Wasser zu gehen, stelle ich lieber eine Liste mit Verben zusammen, die heute noch ein Genitivobjekt haben. Allerdings ohne Anspruch auf Vollständigkeit. Zwei Kategorien lassen sich dabei unterscheiden: zum einen die vollreflexiven Verben (die ausschließlich mit Reflexivpronomen gebraucht werden können), zum anderen Verben aus der Gerichtssprache (zum Beispiel *verdächtigen, anklagen, überführen*). Man nennt den Genitiv hier auch *Genitivus criminis*.

Verben mit Genitivobjekt	
anklagen	Er war des Mordes angeklagt.
annehmen	Wir nahmen uns des Themas an.
bedienen	Darf ich mich kurz Ihres Telefons bedienen?
bedürfen	Es bedarf keines Wortes.
bemächtigen	Da bemächtigte sich der Teufel ihrer Seelen.
beschuldigen	Man beschuldigte ihn des Betrugs.
besinnen	Sie besannen sich eines Besseren.
bezichtigen	Er wurde des Meineids bezichtigt.
enthalten	Er enthielt sich jeglichen Kommentars.
entledigen	Rasch entledigte sie sich ihrer Kleider.
erbarmen	Herr, erbarme dich unser!
erfreuen	Sie erfreut sich bester Gesundheit.
erinnern	Ich erinnere mich dessen noch sehr genau.
freuen	Er freut sich seines Lebens.
gedenken	Der Opfer wurde gedacht.
harren	Gespannt harren wir der Fortsetzung.
rühmen	Man rühmte ihn seiner Taten.
schämen	Ich schäme mich dessen.
überführen	Der Angeklagte wurde der Lüge überführt.
verdächtigen	Man verdächtigte sie der Spionage.
vergewissern	Im Spiegel vergewisserte er sich seiner selbst.
versichern	Sie versicherten sich ihrer gegenseitigen Zuneigung.
zeihen	Man zieh ihn des Verrats.

Klopft man an der Tür oder an die Tür?

Frage einer Leserin: Lieber Zwiebelfisch, bald steht ja wieder Weihnachten vor der Tür, und so habe ich denn eine Frage zum Nikolaus. Sie können aber von mir aus auch Knecht Ruprecht nehmen oder den Gerichtsvollzieher oder meinen Nachbarn. Die Person ist nebensächlich. Mir geht's ums Türklopfen. Klopft der Nikolaus an DER Tür oder an DIE Tür?

Antwort des Zwiebelfischs: Beides ist möglich. Der Dativ (»an der Tür«) ist die Antwort auf die Frage »wo klopft es?«, der Akkusativ (»an die Tür«) ist die Antwort auf die Frage »wohin/worauf/wogegen wird geklopft?«.

Geht es mehr ums Klopfen, dann zeigt man dies durch den Dativ an:

· Es klopft an der Tür.
· Man hört ein Klopfen an der Tür.
· Minutenlang wurde wie wild an der Tür geklopft und gerüttelt.

Geht es mehr um die Person, die anklopft, oder um die Tür, an die geklopft wird, so wählt man den Akkusativ:

· Jemand klopft an die Tür.
· Er hatte an so viele Türen geklopft und war doch nirgends eingelassen worden.
· Nur wer an diese Tür klopft, kommt auch hinein.

Der Bedeutungsunterschied ist allerdings minimal, oft wird er gar nicht wahrgenommen. Für den Nikolaus selbst spielt es wohl keine Rolle, ob er an die Tür klopft oder an der Tür. Hineingelassen wird er in jedem Fall.

Ein ähnliches Phänomen lässt sich übrigens bei Verben der körperlichen Berührung (schlagen, treten, beißen, schneiden u. a.) beobachten: Wenn der Nikolaus mir auf gut Deutsch eine langt, stellt sich die Frage, ob er mich (Akkusativ) ins Gesicht schlägt oder ob er mir (Dativ) ins Gesicht schlägt. Beides ist grammatisch möglich, wenngleich weder das eine noch das andere wünschenswert ist. Der Dativ ist in diesen Fällen allerdings häufiger anzutreffen.

· Er trat ihn/ihm vors Schienbein.
· Sie zog mich/mir an den Haaren.
· Ich habe mich/mir in den Finger geschnitten.
· Der Hund biss ihn/ihm ins Bein.

Bei unpersönlichen Subjekten steht fast ausschließlich der Dativ:

· Der Wind peitschte mir (nicht: mich) ins Gesicht.
· Die Sonne stach ihm (nicht: ihn) in die Augen.

Beim Verb »küssen« (das ja ebenfalls eine körperliche Berührung bezeichnet) steht die geküsste Person im Dativ, wenn der geküsste Körperteil im Akkusativ steht, und sie steht im Akkusativ, wenn der Körperteil von einer Präposition begleitet wird: *Erst küsste er ihr die Hand, dann küsste er sie auf den Mund.* Dasselbe gilt für »lecken«: *Erst leckte er ihr die Hand, dann leckte er sie am Hals.*

Das Imperfekt der Höflichkeit

Wenn es darum geht, Dinge zu beschreiben, die gerade passieren und für diesen Moment gelten, dann benutzt man normalerweise das Präsens. Normalerweise – aber nicht immer. Es gibt Situationen, in denen die Gegenwartsform gemieden wird, als sei sie unschicklich. Ein schlichtes »Was wollen Sie?« wird plötzlich zu »Was wollten Sie?«.

Mein Freund Henry und ich sitzen im Restaurant und geben gerade unsere Bestellung auf. »Also, Sie wollten den Seeteufel, richtig?«, fragt der Kellner an Henry gewandt. »Das ist korrekt«, erwidert Henry und fügt hinzu: »Und ich will ihn immer noch.« Der Kellner blickt leicht irritiert. Henry erklärt: »Angesichts der Tatsache, dass meine Bestellung gerade mal eine halbe Minute her ist, dürfen Sie gerne davon ausgehen, dass ich den Seeteufel auch jetzt noch will.« Der Kellner scheint zwar nicht ganz zu begreifen, nickt aber höflich und entfernt sich.

»Was sollte das denn nun wieder?«, frage ich meinen Freund, der es auch nach Jahren noch schafft, mich mit immer neuen seltsamen Anwandlungen zu verblüffen. Henry beugt sich vor und raunt: »Ist dir noch nie aufgefallen, dass im Service ständig die Vergangenheitsform benutzt wird, ohne dass es dafür einen zwingenden Grund gibt?« – »Das mag zwar sein, aber ich wüsste nicht, was daran verkehrt sein sollte«, erwidere ich. Henry deutet zur Tür und sagt: »Das ging schon los, als wir hereinkamen. Du warst noch an der Garderobe, ich sage zum Empfangschef: ›Guten Abend, ich habe einen Tisch für zwei Personen reserviert!‹, und er fragt mich: ›Wie *war* Ihr Name?‹ – »Ich ahne Furchtbares! Du hast doch nicht etwa …?« – »Natürlich habe ich!«, sagt Henry mit einem breiten Grinsen. »Die Frage war doch unmissverständlich. Also erkläre ich ihm: ›Früher war mein Name Kurz, aber vor drei Jahren habe ich geheiratet und den Namen meiner Frau angenommen, deshalb ist mein Name heute nicht mehr Kurz, sondern länger, nämlich Caspari.‹« – »Ein Wunder, dass er uns nicht gleich wieder vor die Tür gesetzt hat!«, seufze ich. Henry zuckt die Schultern: »Ist doch wahr! Eisparfait auf der Karte und Imparfait in der Frage – das sind Wesensmerkmale der Gastronomie. Sag mir nicht, du hättest dir noch nie darüber Gedanken gemacht? Ich jedenfalls finde es höchst bemerkenswert!«

Eine Viertelstunde später kommt eine junge weibliche Servierkraft mit den Speisen. »Wer bekam den Fisch?«, fragt sie. Henry wirft mir einen triumphierenden Blick zu, wendet sich zur Kellnerin und sagt mit einem charmanten Lächeln: »Noch hat ihn keiner bekommen, aber ich wäre Ihnen sehr dankbar, wenn ich ihn nun bekommen könnte.« – »Henry«, sage ich tadelnd, »du bringst die junge Dame ja völlig durcheinander!« – »So soll es sein!«, erwidert Henry selbstbewusst. Ich bemühe mich, sachlich zu bleiben: »Wenn dich jemand etwas fragt und dabei das Imperfekt verwendet, dann heißt das nicht, dass er sich für deine Vergangenheit interessiert. Meistens verwendet man es, wenn man sich einer Sache vergewissern will: Wie *war* das doch gleich?« Henry spritzt, den Seeteufel nur um wenige Meter verfehlend, Zitronensaft auf mein Hemd und entgegnet: »Als Anwalt bin ich es nun mal gewohnt, Sprache wörtlich zu nehmen. Neulich im Reisebüro wurde ich gefragt: ›Wohin wollten Sie?‹ Da habe ich dann ganz gewissenhaft aufgezählt: ›Letztes Jahr wollte ich in die Karibik – Barbados oder Jamaika, das war immer schon mein Traum, war aber leider zu teuer. Im Jahr davor wollte ich zum Tauchen auf die Malediven, dafür hätte ich aber erst zehn Kilo abnehmen müssen. Als Student wollte ich nach Ägypten, doch dann lernte ich meine Freundin kennen und blieb in Deutschland; und als ich ein kleiner Junge war, da wollte ich unbedingt auf den Mond. Jetzt will ich eigentlich nur nach Rügen.‹ Du kannst dir vorstellen, wie die Reisekauffrau geguckt hat. Das hätte sie kürzer haben können!« – »Wenn du das Imperfekt unbedingt auf die Anklagebank setzen willst, dann lass mich etwas zu seiner Verteidigung sagen. Das Imperfekt in der Frage drückt respektvolle Distanz aus, daher ist es im Service so beliebt. Man will dem Kunden schließlich nicht zu nahe treten. ›Wie war Ihr Name?‹ klingt – zumindest in manchen Ohren – weniger direkt und somit höflicher als ›Wie ist Ihr Name?‹ Es ist dasselbe wie mit dem Konjunktiv. ›Ich will ein Glas Prosecco‹ klingt zu direkt, daher verkleidet man den Wunsch mit dem Konjunktiv, versieht ihn womöglich noch mit einem Diminutivum und sagt: ›Ich hätte gerne ein Gläschen Prosecco!‹« Erwartungsgemäß nutzt Henry diese Vorlage zu einem spöttischen Einwurf: »Au ja! Prosecco für alle!« Ich fasse zusammen: »Aus demselben Grund wird in der Frage das Imperfekt verwendet – aus Höflichkeit.« Henry verdreht schwärmerisch die Augen: »Das Imperfekt der Höflichkeit! Ein toller Titel! Klingt wie ›Der Scheineffekt der Wirklichkeit‹ oder ›Der Gipfel der Unsäglichkeit‹. Seine Vollendung findet es übrigens im berühmt-berüchtigten Imbiss-Deutsch: ›*Waren* Sie das Schaschlik oder die Currywurst?‹«

Wir lassen es uns schmecken, und nachdem auch die zweite Flasche Wein geleert ist, gebe ich dem Kellner mit Handzeichen zu verstehen, dass er uns die Rechnung bringen möge. Einen Augenblick später ist er zur Stelle und fragt: »Die Herren wollten zahlen?« Und ehe ich Luft holen kann, platzt es aus Henry heraus: »Vor fünf Minuten wollten wir zahlen, und redlich, wie wir sind, wollen wir immer noch zahlen, und zwar so lange, bis wir tatsächlich gezahlt haben!« Der Kellner verzieht keine Miene: »Zusammen oder getrennt?« – »Zusammen!«, sage ich. »Du lädst mich ein?«, fragt Henry begeistert. »Wie komme ich zu der Ehre?« – »Das war ein Arbeitsessen«, erkläre ich, »daraus mache ich eine Kolumne.« – »Prima«, sagt Henry, »dann weiß ich auch schon was für unser nächstes Arbeitsessen! Da gehen wir zu meinem Koreaner. Der fragt nie: ›Was darf's sein?‹ oder ›Was wünschen Sie?‹, sondern ›Was soll essen?‹ Darüber lässt sich prächtig philosophieren!«

Imperfekt oder Präteritum?

Frage eines Lesers aus Karlsruhe: Man kennt die Vergangenheit sowohl unter der Bezeichnung Imperfekt als auch unter der Bezeichnung Präteritum. Wieso gibt es zwei Begriffe für ein und dieselbe Zeitform? Ist unsere Grammatik nicht schon kompliziert genug? Oder gibt es da womöglich doch einen Unterschied?

Antwort des Zwiebelfischs: Imperfekt und Präteritum sind tatsächlich zwei unterschiedliche Namen für dasselbe Tempus. In den meisten Nachschlagewerken findet man unter dem Stichwort »Imperfekt« einen Hinweis auf den Eintrag »Präteritum«. Letzterer ist heute der üblichere Fachausdruck für das, was man auf Deutsch als »erste Vergangenheit« bezeichnet.

Die deutsche Sprachwissenschaft hat wesentliche Impulse von der französischen Philologie erhalten – und daher stammt auch die Bezeichnung Imperfekt (frz. imparfait), denn im Französischen wird zwischen einfacher Vergangenheit (passé simple) und unvollendeter Vergangenheit (imparfait) unterschieden. Diese Unterscheidung gibt es aber im Deutschen nicht. Wir haben kein »passé simple«, sondern nur eine (erste) Vergangenheitsform. Und eben diese als »unvollendet« zu bezeichnen, ist in den Augen vieler Deutschlehrer und Germanisten irreführend, denn die Vergangenheitsform, um die es hier geht, bezeichnet doch gerade einen Vorgang, der abgeschlossen ist:

· Ich ging allein nach Hause.
· Er aß nur einen Happen.
· Wir warteten auf den Bus.

Was ist daran »unvollendet«? Als unvollendet kann die Handlung nur gedeutet werden, wenn sie sich zum Beispiel in einem Roman abspielt. Und die meisten Romane sind ja in der Vergangenheitsform geschrieben. Wenn man liest »Harry zog seinen Zauberstab«, dann ist die Handlung noch keinesfalls abgeschlossen, dann wird die Sache ja erst richtig spannend, und jeder will wissen: Was passierte als Nächstes?

Einen inhaltlichen Bezug zur Gegenwart hat die erste Vergangenheit aber nicht. Den wiederum hat das Perfekt, jene mit »haben« und »sein« gebildete Vergangenheitsform. Deshalb nennt man das Perfekt auf Deutsch auch »vollendete Gegenwart«. Wer seine Freunde und Bekannten über seinen Umzug informieren will, der schreibt in der Regel nicht »Wir zogen um«, auch wenn der letzte Karton bereits ausgepackt ist, sondern »Wir sind umgezogen«; denn der Umzug wirkt sich auf die Gegenwart aus, der Wohnortwechsel bleibt bis auf weiteres aktuell.

Weil also die erste Vergangenheit – im Unterschied zum Perfekt – aus Sicht des Erzählers eine abgeschlossene Handlung beschreibt, bevorzugt die deutsche Grammatik dafür den Ausdruck »Präteritum«. Der kommt aus dem Lateinischen und heißt nicht »unvollendet«, sondern schlicht und einfach »vergangen«. Einigen Romanisten (wie zum Beispiel mir) fällt es allerdings schwer, sich vom Begriff »Imperfekt« zu lösen. Ich bitte um Nachsicht und gelobe Besserung.

In der gesprochenen Sprache wird das Präteritum heute nur noch selten gebraucht. Kaum jemand sagt im Gespräch: »Ich ging allein nach Hause«, sondern drückt es mit dem Perfekt aus: »Ich bin allein nach Hause gegangen.« Wenn das Präteritum in der gesprochenen Sprache zum Einsatz kommt, dann meistens in Verbindung mit Modal- und Hilfsverben wie *haben, sein, müssen, können, brauchen, dürfen*:

· Ich hatte keine Zeit.
· Das war letzten Donnerstag.
· Wir mussten nicht lange warten.
· Das konntet ihr nicht wissen.

Aus einigen süddeutschen Dialekten ist das Präteritum sogar völlig verschwunden, dort bedient man sich allein des Perfekts.

Dem Wahn Sinn eine Lücke

Party Service, Video Spiele, Grill Imbiss, Garten Center – in der Welt da draußen gibt es alles, was das Herz begehrt. Nur keine Verbindlichkeit mehr. Im Drang nach Internationalität zerfällt unsere Mutter Sprache zusehends in ihre Einzel Teile. Ein Traktat über depperte Leer Zeichen und unerträgliche Wort Spalterei.

Da stehe ich nun in diesem Laden, den man unter normalen Umständen als Stehcafé bezeichnen würde, und starre betroffen auf meinen Milchkaffee. Der Laden selbst nennt sich »Steh Café«, in zwei Wörtern. Steh – gähnende Leere – Café. Ich habe versucht, mir einzureden, dass da früher mal ein Bindestrich war, der heruntergefallen ist. So etwas kommt ja vor. So wie auch Neonbuchstaben von Hotels und Geschäften gelegentlich mal ausfallen und man dann nur noch »OTEL« oder »OUTIQUE« liest und rasch weitergeht. Aber da war kein Bindestrich. Das »Steh Café« ist nie ein »Steh-Café« gewesen. Den Beweis liefert die Getränkekarte. Was da vor mir auf dem Tisch steht, ist laut Karte nämlich gar kein Milchkaffee, sondern ein »Milch Kaffee«. Dabei wird auf einem kleinen Zettel im Schaufenster sogar noch eine »Tassekaffee« angeboten.

Ganz offensichtlich hat der Besitzer des Ladens ein Problem mit der Zusammen- und Getrenntschreibung. Und er ist bei weitem nicht der Einzige. Unsere Städte sind gepflastert mit zerrissenen Begriffen wie »Auto Wäsche«, »Kosmetik Studio« und »Kunden Parkplatz«. Ganz zu schweigen von den neuerdings überall zu findenden »Back Shops«, die ausländischen Touristen immer wieder Rätsel aufgeben: Was soll das sein – ein rückwärtiges Geschäft, ein Hinterladen?

Ursprung dieses Auseinanderschreibungswahns ist die englische Sprache. Für Briten und US-Amerikaner ist es selbstverständlich, dass »service center«, »car wash« und »book store« jeweils in zwei Wörtern geschrieben werden. In Deutschland, Österreich und der Schweiz (und natürlich auch in Liechtenstein, immer vergesse ich Liechtenstein!) gelten andere Regeln als die englischen. Thank God! Doch die Sehnsucht nach internationalem Flair scheint übermächtig. So sägten in den letzten Jahren immer mehr Gewerbetreibende frei nach Wilhelm Busch *gar nicht träge mit der Säge – Ritzeratze! – voller Tücke in die Wörter eine Lücke.* Dass unsere Sprache vom *Verfall* bedroht sei, ist eine bekannte Behauptung. Inzwischen scheint sie außerdem vom *Zerfall* bedroht.

Bereits im November 2002 ereiferte sich ein Kollege im »Spiegel« über Schilder mit der Aufschrift »Küchen Zentrum«, »Grill Imbiss« oder »Schuh Markt«. Und wackere Mitstreiter wie Philipp Oelwein haben im Internet ganze Galerien von »Schreckens Bildern« zusammengetragen. Die berechtigte Empörung über das »Deppen Leer Zeichen« vermochte seine Ausbreitung bislang nicht aufzuhalten – im Gegenteil: Inzwischen ist es in sämtliche Bereiche der deutschen Sprache vorgedrungen.

In einer spektakulären Werbeaktion verwandelte die Telekom das Brandenburger Tor vorübergehend in ein »Sport Portal«. Welch eine Tor Heit! Und die Tele Kom befindet sich in großer Gesellschaft: Die Lebensmittelindustrie produziert »Vollkorn Müsli«, »Würfel Zucker« und »Milch Schokoladen Streusel«. Besonders bunt treibt es ein bekannter Suppenhersteller: Der bietet in seiner »Feinschmecker«-Reihe eine herzhafte »Zwiebel Suppe« an. Vom selben Hersteller gibt es jedoch eine ganz normal zusammengeschriebene »Tomatensuppe«. Da muss man sich doch fragen, was an der Zwiebel so viel abstoßender ist? Die Verwirrung wird komplett im Angesicht der »Champignoncreme Suppe«. Das ist also keine Cremesuppe mit Champignons, sondern eine Suppe aus Champignoncreme. Ich hätte nicht übel Lust, den Hersteller zu fragen, wie er Champignoncreme produziert.

Derweil bringen Reinigungsmittelhersteller Spülmittel mit »Schnell Trocken Formel« auf den Markt, im Internet werden »Newsletter Abonnenten« mit »Gratis Diensten« umworben, und wer ein neues »Computer Programm« kauft, der muss heute einem »Endbenutzer Software Lizenz Vertrag« zustimmen. In der Küche der Zukunft werden »Gefrier Schränke«, »Induktions Herde« und »Geschirr Spüler« stehen, in den Wohnzimmern »Stereo Anlagen« und »TV Geräte«.

Als sich der »Spiegel« des Themas Windkraft annahm, schwappte eine Flut von E-Mails in das Postfach des »Zwiebelfischs«. Dutzende Leser monierten die Titelzeile des Magazins, die aus zwei Wörtern bestand, die über drei Zeilen verteilt waren: DER WINDMÜHLEN WAHN. Vermutlich aus grafischen Gründen hatte man auf den Trennstrich hinter »Windmühlen« verzichtet. Diese Schreibweise ließ allerdings auch eine völlig andere Deutung zu – nämlich eine als Drei-Wort-Gebilde: Der Windmühlen Wahn, also eine Geschichte über wahnsinnig gewordene Windkrafträder. Ebenfalls zu unterschiedlichen Deutungen kann die Verheißung »24 Monate ohne Grund Gebühr« führen, wie sie im Werbeprospekt eines Onlinedienstes zu finden war. Warum sollte ich mich auf einen Anbieter einlassen, der grundlos Gebühren erhebt? Da bleibe ich doch lieber bei meinem alten Vertrag, bei dem weiß ich wenigstens, aus welchem Grund ich Gebühren zahle!

In der IT-Branche hat die deutsche Grammatik bekanntlich einen besonders schweren Stand. Schreibweisen wie »Web Seiten«, »Standard Schnittstellen«, »Kunden Portal« und »IT Sicherheit« sind dort so häufig wie BIIIEP-Töne in sprachlich entgleisten Nachmittagstalkshows. Der Bindestrich wurde stillschweigend abgeschafft, scheint es. Immerhin wies ihm die »IT Branche« eine neue Betätigung zu; dafür musste er allerdings einer Umbenennung zustimmen: Unter dem seltsamen Namen »Minus« fristet er nun ein Dasein als grafische Auflockerung in Internet- und E-Mail-Adressen: »Sie erreichen mich unter Peter minus Schmidt ät Bayern minus international Punkt dee eeh.« Was mag von Bayern übrig bleiben, wenn man »international« subtrahiert?

Für mein erstes Buch schrieb ich eine Kolumne über den Missbrauch des Bindestrichs, der Wörter wie »Spar-Plan« und »Tempo-Limit« zerlegt und das Schriftbild zu einer trostlosen Strich-Landschaft verkommen lässt. Doch angesichts von »Fisch Spezialitäten« und »Qualität's Tier Produkten« tut mir das heute fast Leid. Liebes Divis, bitte verzeih mir! Komm zurück und mach die »City Passage« wieder zu einer »City-Passage« und die »Humboldt Universität« wieder zu einer »Humboldt-Universität«.

Nicht einmal Bildungseinrichtungen bleiben von der Lust zur Lücke verschont. Wenn man unter der Adresse www.kmk.org auf der Seite der »Kultusminister Konferenz« begrüßt werde, dann, so der Tenor des oben erwähnten »Spiegel«-Artikels, sei man vom »Goethe Institut« nicht mehr weit entfernt. Eine andere kulturorientierte Einrichtung, der DAAD, präsentiert sich auf ihrer Homepage nicht als Deutscher Akademischer »Austauschdienst«, auch nicht als »Austausch-Dienst«, sondern als »Austausch Dienst«.

Gibt es keinen Ausweg aus dieser Misere? Doch, natürlich! Die stets nach Innovationen forschende Wirtschaft hat einen Weg gefunden, um die hässlich klaffende Lücke zwischen den Wörtern zu schließen. Die Lösung lautet: Zusammenschreibung unter Berücksichtigung der Großschreibung! So wurde aus Daimler und Chrysler eben nicht Daimler & Chrysler oder Daimler-Chrysler, sondern DaimlerChrysler. Und aus Krupp und Thyssen wurde ThyssenKrupp. Hunderte Firmen sind diesem Beispiel gefolgt und haben ihre Namen unter besonderer Missachtung der Grammatik zusammengeklebt. Von den Standesämtern wird diese Schreibweise allerdings noch nicht anerkannt. Die Bundestagsabgeordnete Sigrid Skarpelis-Sperk darf sich auf ihrer Visitenkarte nicht als SkarpelisSperk vorstellen, auch WieczorekZeul und LeutheusserSchnarrenberger sind (noch?) nicht zulässig.

Im Duden suchte man das Wort »Stehcafé« bis vor kurzem noch vergebens, obwohl es in der deutschen Schildersprache wirklich sehr häufig vorkommt. In der 23. Auflage steht es nun aber, und zwar zusammengeschrieben: Stehcafé. Wenn der unsägliche Trend der Auseinanderschreibung anhält, wird man in einer späteren Auflage vielleicht folgenden erweiterten Eintrag finden:

> **Steh|ca|fé**, das; -s, *Plur.* -s, auch: Steh-Café
> Steh Café, StehCafé (Schreibw. völlig beliebig.
> Macht doch, was ihr wollt!)

Ich trinke meinen »Milch Kaffee« aus, stelle die Tasse bei der »Geschirr Rückgabe« ab und gehe hinaus auf die Straße. Es schneit. Direkt vor meiner Nase fährt ein Streufahrzeug vorbei. Darauf steht »Winterdienst« – in einem Wort. Das tut gut! Auf der gegenüberliegenden Straßenseite werden Weihnachtsbäume verkauft, ein Schild verheißt »Nordmann Tannen ab 15 Euro«. Ich schlage den Kragen hoch und mache mich auf den Heim Weg.

Wie steigert man »doof«?

Frage eines Lesers: Wie wird das Wort »doof« gesteigert? Im allgemeinen Sprachgebrauch hört man oft doof, döwer, am dööfsten. Die Schreibweise kommt mir aber extrem merkwürdig vor. Heißt es döwer? Dööwer? Dööfer? Oder doofer? Der mir zu Weihnachten geschenkte Duden ist mir da auch keine Hilfe, der schweigt sich nämlich aus. Nun gibt es ja auch Eigenschaftswörter, die sich nicht steigern lassen. So wie »das einzigste«, das bei uns im Ruhrgebiet nicht gerade selten anzutreffen ist. Gehört »doof« dazu?

Antwort des Zwiebelfischs: Zunächst ein paar Worte zur Herkunft dieses wichtigen Ausdrucks. Das Wort »doof« stammt aus dem Niederdeutschen und bedeutete ursprünglich nichts anderes als »taub«. In Hamburg gibt es einen Seitenarm der Elbe, der noch heute »Dove Elbe« heißt – »taube Elbe« also, weil er keine Durchfahrt bietet.

Da gehörlose Menschen in früheren Zeiten oft für geistig behindert gehalten wurden, wurde »doof« zum Synonym für »dumm«. »Dumm« wiederum kommt vom mittelhochdeutschen Wort »tump« und bedeutet »stumm, töricht«.

Anfang des 19. Jahrhunderts drang das Wort »doof« von Berlin aus in die Hochsprache ein. Da es sich jedoch um einen umgangssprachlichen Ausdruck handelte, der in der Schriftsprache verpönt war, gab es lange Zeit keine Festlegung der Schreibweise.

Heute ist es üblich, das Wort mit einem »f« zu schreiben, weil das der Praxis im Hochdeutschen entspricht. Auf -v enden sonst nur Fremd- und Lehnwörter. In den Ableitungen klingt zwar nach wie vor das weiche »v« durch – geschrieben wird es dennoch mit »f«: ein doofes Kind, die doofe Tante (gesprochen: dowes, dowe).

Im Komparativ und Superlativ behält das Wort seinen Klang: doof, doofer (gesprochen: dower), am doofsten. Viele Menschen sagen aber auch *döwer* und *am döfsten*. Das ist in der gesprochenen Sprache möglich, in der Schriftsprache existiert jedoch nur die Form doof, doofer, am doofsten.

Wir Deutsche oder wir Deutschen?

»SCHEISSE DEUTCHEN« ist in großen Lettern an die Wand ge-
sprayt. Man steht betroffen davor und erkennt: Da hat sich mal wieder eine von uns Deutschen enttäuschte Seele den Frust aus der
Dose gesprüht. Doch neben der persönlichen Verbitterung eines
Einzelnen zeugt dieses Graffito noch von einem ganz anderen Problem.

»SCHEISSE DEUTCHEN« ist falsches Deutsch, und zwar in
mehrfacher Hinsicht: In der knackigen Formel sind nicht
weniger als vier Fehler versteckt. »SCHEISSDEUTSCHE«
muss es heißen. Der Duden sieht bei Fügungen mit dem
als »derb« qualifizierten Wort »Scheiß« Zusammenschreibung vor und nennt als Beispiele: Scheißdreck, Scheißhaus,
Scheißkerl, Scheißladen, Scheißwetter. Nun hat nicht jeder,
der irgendwo ein Graffito an die Wand sprüht, immer einen
Duden zur Hand. Und selbst, wenn: Das Wort »Scheißdeut-
scher« hätte er darin nicht gefunden. Es bliebe auch immer
noch die Frage, wie man es richtig dekliniert und wie die
Mehrzahl lautet. Das bereitet übrigens nicht nur Ausländern
Probleme. Auch wir Deutsche haben mit unserer Grammatik Schwierigkeiten. Gerade, wenn es um uns Deutsche
geht. Wer hätte nicht schon mal gestutzt und sich ratlos am
Kopf gekratzt bei dem Versuch, die Deutschen korrekt zu
beugen?

Das Elend beginnt schon im Singular. Ein Deutsch**er** fliegt
nach Afrika. Dort ist er »der Deutsche«. Wo ist plötzlich das
»r« abgeblieben? Haben es die afrikanischen Zöllner konfis-
ziert? Nein – der Deutsche hat es sich selbst abgeschnitten,
beim Wechsel vom unbestimmten (»ein«) zum bestimmten
(»der«) Substantiv. Typisch deutsch: Eine solche Zickigkeit
können nur wir uns leisten. Der Däne bleibt Däne, auch

wenn es »ein Däne« heißt, und der Franzose bleibt Franzose, auch wenn er als »ein Franzose« vorgestellt wird. Aber der Deutsche beansprucht zwei Formen im Singular.

Das liegt daran, dass er im Unterschied zu den Herren aller anderen Länder aus einem Adjektiv entstanden ist. Nicht aus Erde wie Adam, nicht aus Lehm wie der Golem und nicht aus Holz wie Pinocchio, sondern aus einem kleinen Eigenschaftswort. So wie ein Blinder der Blinde heißt, weil er blind ist, und ein Alter der Alte, weil er alt ist, so heißt ein Deutscher der Deutsche, weil er deutsch ist. Während andere Völker nach ihrem Land benannt sind, handelt es sich beim Deutschen um ein substantiviertes Adjektiv. Der Deutsche befindet sich geografisch in Nachbarschaft zu Dänen, Polen, Niederländern und Tschechen, grammatisch aber befindet er sich in Gesellschaft von Untergebenen, Angestellten und Gefangenen, lauter Bezeichnungen, die ebenfalls aus Adjektiven hervorgegangen sind. Und substantivierte Adjektive scheinen nicht als vollwertige Hauptwörter zu gelten, jedenfalls werden sie wie Adjektive dekliniert. Daher der auffällige Wechsel von »-e« zu »-er«.

Kein Wunder, dass es mit der »Weltherrschaft« der Deutschen nicht geklappt hat, wenn nicht mal unsere eigene Grammatik uns als »echte Hauptwörter« anerkennt und uns stattdessen wie aufgepumpte Wie-Wörter behandelt. Wäre der Deutsche nicht aus einem Adjektiv hervorgegangen, sondern vom Namen seines Landes abgeleitet (so wie der Österreicher von Österreich und der Engländer von England), dann hießen wir heute womöglich »Deutschländer« und wären lauter arme kleine Würstchen. Dann doch lieber ein Adjektiv.

Auch für die weibliche Form lässt sich eine Besonderheit feststellen: Während die Frauen anderer Länder einfach durch Anhängen der Silbe »-in« geformt werden (Engländer + in = Engländerin, Spanier + in = Spanierin, Iraker + in = Irakerin), wird dem Deutschen zwecks Erschaffung einer Frau nichts angehängt, sondern abgeschnitten: ein Deutscher – r = eine Deutsche. Auch die weibliche Form geht auf ein Adjektiv zurück und wird daher wie ein Adjektiv dekliniert. So wie die Alte, die Dumme, die Schöne und die Biestige.

Im Plural wird es nicht besser. Was – mit bestimmtem Artikel – »für die Deutschen« gilt, das gilt – unbestimmt – »für Deutsche«. Steht vor den Deutschen gar ein Pronomen oder ein Attribut, ist die Verwirrung komplett. Heißt es nun »wir Deutsche« oder »wir Deutschen«? Besteht dieses Problem nur für »einige Deutsche«, oder besteht es für »alle Deutschen«? Nicht einmal Horst Köhler kann sicher sagen, ob er als Bundespräsident für uns Deutschen spricht oder für uns Deutsche.

Der Duden erklärt, dass zwei Formen nebeneinander existieren, eine starke (»wir Deutsche«) und eine schwache (»wir Deutschen«). Die starke sei allerdings auf dem Rückzug; die schwache Form setze sich mehr und mehr durch. Richtig sind nach wie vor beide, es bleibt also jedem selbst überlassen, welcher Form er den Vorzug gibt.

Das Sprühwerk an der Wand bleibt trotzdem falsch. Selbst wenn man »Scheiße« in »Scheiß« verwandelte, das defekte »sch« reparierte und mittels Trompe-l'Œil-Technik die Illusion von Zusammenschreibung erzeugte, so wäre da immer noch die störende Endung. Man müsste folglich entweder das »n« übertünchen – oder aber ein »Ihr« davorsetzen, dann würde es wieder richtig. Wahlweise auch ein »Wir« – je nach Standpunkt des Betrachters. Ob nun aber – den Scheiß mal beiseite gelassen – »wir Deutsche« oder »wir Deutschen« besser klingt – ich vermag es nicht zu sagen. Das Klügste wird sein, ich beantrage die dänische Staatsbürgerschaft, denn mit denen (also Dänen) gibt es in grammatischer Hinsicht kein Vertun.

Was sind wir Deutschen nur für Deutsche!				
Numerus/ Kasus	Nominativ	Genitiv	Dativ	Akkusativ
Singular, unbestimmt	ein Deutscher	eines Deutschen	mit einem Deutschen	für einen Deutschen
Singular, bestimmt	der Deutsche	des Deutschen	mit dem Deutschen	für den Deutschen
Plural, unbestimmt	Deutsche	Deutscher	mit Deutschen	für Deutsche
Plural, bestimmt	die Deutschen	der Deutschen	mit den Deutschen	für die Deutschen
Plural, mit Pronomen/ Attribut	alle Deutsche/alle Deutschen	aller Deutschen	mit allen Deutschen	für alle Deutsche/für alle Deutschen

Liebe Verwandte oder liebe Verwandten?

Frage eines Lesers: Immer wieder zu den Festtagen kursieren familiäre Rundbriefe, die nicht selten mit der Anrede »Liebe Freunde und Verwandten« beginnen. Meinem Gefühl nach müsste es korrekterweise »Liebe Freunde und Verwandte« heißen. Liege ich richtig? Ich erwarte gespannt Ihre Antwort und grüße recht herzlich!

Antwort des Zwiebelfischs: Ihr Gefühl täuscht Sie nicht – der Nominativ des unbestimmten Substantivs »Verwandte« lautet »Verwandte«. Da in der Anrede stets der Nominativ gebraucht wird, heißt es folglich »Liebe Verwandte«.

Der Nominativ des bestimmten Substantivs lautet hingegen »die Verwandten«, man grüßt oder begrüßt daher »die lieben Verwandten«. Mit den Verwandten verhält es sich genau wie mit den Deutschen, auch sie sind aus einem Adjektiv hervorgegangen und haben daher zwei unterschiedliche Formen. Es kommt eben darauf an, ob ihnen ein bestimmter Artikel (»die«) vorausgeht oder nicht.

Fress oder sterbe!

Befehl ist Befehl, das hat jeder irgendwann schon mal gehört. Doch längst nicht jeder Befehl ist richtig formuliert. Einige provozieren mit unsachgemäßer Grammatik Gehorsamsverweigerung. Ein Kapitel über den viel geschundenen Imperativ.

Nach dem Tod der alten Frau Schlötzer kam ihr Hündchen »Tuffy« zu Werner und Annegret. Werner wollte ja schon immer einen Hund haben, allerdings keinen »Tuffy«, sondern eher einen »Hasso« oder einen »Rocko«, aber man kann es sich im Leben eben nicht immer aussuchen. Nun steht Werner in der Küche und macht zwei Dosen auf, zunächst eine mit Hundefutter für Tuffy, dann eine mit Stärkungsbier für sich selbst, denn Dosenöffnen macht durstig. Er stellt Tuffy den Napf vor die Nase und sagt: »Da, dat is' für dich! Nu fress mal schön!« Tuffy blickt sein neues Herrchen neugierig an, macht aber nicht die geringsten Anstalten, der Aufforderung Folge zu leisten. »Wat is' denn?«, knurrt Werner. »Haste keinen Appetit? Los, fress!« Tuffy wedelt mit dem Schwanz, doch er rührt den Napf nicht an. »Anne, der Hund will nich' fressen!«, ruft Werner. »Vielleicht isser krank?« Die Gerufene kommt herbeigeeilt, kniet sich zu Tuffy hinab, streichelt ihn und sagt: »Komm, Tuffy, friss!« Und sofort steckt der Hund seine Schnauze in den Napf und beginnt mit großem Appetit zu fressen. »Komisch«, wundert sich Werner, »bei mir hat er sich nich' gerührt. Vielleicht hört er nur auf Frauen?«

Was Werner nicht weiß: Die alte Frau Schlötzer hat ihrem Tuffy nicht nur feine Hundemanieren beigebracht, sondern ihn auch in tadellosem Deutsch erzogen. Daher reagiert Tuffy nur auf den Befehl »Friss!« und nicht auf die umgangssprachliche Form »Fress!«.

So wie Tuffy geht es auch vielen Menschen. Besonders emp-findsame Schüler stellen sich im Sportunterricht gerne mal taub, wenn ihnen beim Ballsport von einem frei stehenden Mitschüler zugerufen wird: »He, werf zu mir!« Das Ignorie-ren der Aufforderung mag zwar unsportlich sein, aber nicht unverständlich.

Wer sich anmaßt, Befehle zu erteilen, sollte zunächst ein-mal die richtige Befehlsform beherrschen. Imperativ kommt von Imperium, nicht von Imperitia*. Und mit dem Wort »befehlen« geht es selbst schon los: »*Befehle* nie, was du nicht selbst befolgen würdest« – über den Sinn dieses Mot-tos kann man streiten, nicht aber über seine Grammatik; denn »Befiehl!« muss es heißen.

Und wer nun fragt, »Inwiefern betrifft mich das? Ich habe keinen Hund, der schlauer ist als ich, und zur Schule und zum Bund gehe ich schon lange nicht mehr«, der sei nur auf das Internet verwiesen und auf die vielen Gebrauchsanlei-tungen, die man im Laufe eines Lebens so studiert. Darin findet man nämlich immer wieder Sätze wie diesen: »Bitte *lese* diese Anleitung genau durch, bevor du die Software in-stallierst.«

Oder wie diesen: »*Nehme* zunächst das Hinterrad aus dem Rahmen und löse den Schnellspanner.« Der Urheber hat vermutlich zu viele Kochrezepte gelesen, die traditionell mit »Man nehme …« beginnen. Ganz zu schweigen davon, dass man für gewöhnlich *erst* den Schnellspanner lösen muss, *bevor* man das Hinterrad herausnehmen kann. Der Imperativ der zweiten Person Singular von »nehmen« lautet indes »Nimm«, das weiß jeder, der sich schon mal von der Werbung aufgefordert sah, gleich zwei Bonbons auf einmal zu nehmen. Wie man sich »erfolgreich, richtig bewerben«

---

* imperium (lat.) = Befehl, Herrschaft, Kommando, Reich
  imperitia (lat.) = Unwissenheit, Unerfahrenheit

kann, das weiß angeblich eine Homepage mit dem Titel www.bewerbe-dich.de. Die Internetadresse www.bewirb-dich.de ist wundersamerweise noch zu haben.

Zwar ist es richtig, dass der Imperativ der zweiten Person Singular meistens regelmäßig gebildet wird, nämlich genauso wie der Indikativ der ersten Person Singular im Präsens, aber eben nicht immer. Es gibt eine Reihe von Ausnahmen, eine Hand voll unregelmäßiger Verben, bei denen die Befehlsform ihren Stammlaut verändert: Da wird das »e« zum »i«, und an den Wortstamm kann dann auch kein -e mehr angehängt werden. Bruce-Willis-Fans wissen, dass es »Stirb langsam« heißt, und nicht etwa »Sterbe langsam«.

Wenn der Spielleiter der Comedy-Improvisationssendung »Schillerstraße« einer Akteurin die Anweisung gibt: »Sprech Schwäbisch!«, möchte man ihm selbst einflüstern: »Sprich Hochdeutsch!« Und wer bei einem Besuch im nachbarlichen Kleingarten auf des stolzen Besitzers Ausruf »Seh mal hier!« anfängt, Petersilie oder Rasen auszusäen, der hat zumindest akustisch die richtige Konsequenz aus der grammatisch insuffizienten Sentenz gezogen.

»Reg dich nicht auf, ess erst mal was«, mag ein gut gemeinter Rat sein, grammatisch aber unausgereift. Richtig ist selbstverständlich »iss erst mal was«. Doch offenbar haben viel zu viele Mütter viel zu vielen Kindern viel zu oft den Befehl »Halt den Mund und ess jetzt!« erteilt, denn die ess/iss-Verwirrung im deutschen Sprachraum ist beklemmend.

Im Internet ist sie sogar messbar, wenn man nämlich die Worte »mess mal« in eine Suchmaschine eingibt. Dort stößt man auf unzählige Foren, in denen Tausende von Internetnutzern sich gegenseitig mit Rat und nützlichen Tipps für Probleme aller Art versorgen: Wie oft muss man ein Aquarium reinigen? Wie schließt man Zusatzgeräte an seinen Computer an? »Lass das Aqua mal in Ruhe einlaufen und mess mal die Entwicklung der Wasserwerte in den ersten sechs Wochen«, schreibt ein freundlicher Ratgeber. Ein anderer in einem anderen Forum empfiehlt: »Wenn sich nichts tut, *mess* mal mit einem Multimeter nach, ob die Kontakte in Ordnung sind.«

»*Helf* gefälligst der Mutti beim Kistenschleppen!«, ruft der Papa vom Fernsehsessel aus, unfähig, sich selbst zu erheben, und leider auch unfähig, die korrekte Imperativform zu bilden. »*Helf* dir selbst, dann hilft dir Gott«, lautet ein oft gesagter Rat; »*nehm* nicht immer nur, sondern *geb* auch mal was!«, hat schon so mancher einem Mitmenschen ans Herz gelegt. Da denkt man im Stillen: *Gib* auf deinen Ausdruck Acht und *hilf* deiner Grammatik auf die Sprünge!

Wer sich mit Imperativen wie »Dresche!«, »Trete!« »Schmelze!« und »Treffe!« zufrieden gibt, wird es im Leben nicht weit bringen. Anders derjenige, der sich an die weisen Worte hält: »Drisch das Korn! Tritt den Balg! Schmilz das Erz! Triff keine übereilten Entscheidungen!« Denn seine Stadt wird im Wirtschaftssimulationsspiel zu Wohlstand und Blüte gelangen.

Für alle Freunde von tabellarischen Übersichten sind nachstehend noch einmal (fast) alle unregelmäßigen Imperativformen in alphabetischer Reihenfolge aufgelistet. Wem Tabellen eher Angst einflößen, dem sei zur Beruhigung gesagt: Erschrecke nicht! Sondern erschrick!

Unregelmäßige Befehlsformen

Infinitiv	Imperativ Singular
befehlen	befiehl!
bergen	birg!
brechen	brich!
dreschen	drisch!
empfehlen	empfiehl!
erschrecken	erschrick!
essen	iss!
fressen	friss!
geben	gib!
helfen	hilf!
lesen	lies!
messen	miss!
nehmen	nimm!
quellen	quill!
schelten	schilt!
schmelzen	schmilz!
sehen	sieh!
sprechen	sprich!
stechen	stich!
stehlen	stiehl!
sterben	stirb!
treffen	triff!
treten	tritt!
vergessen	vergiss!
werben	wirb!
werfen	wirf!

Nun fei(e)r(e) mal schön!

Frage eines Lesers: Ich streite derzeit mit einem Bekannten über die Frage, was nun richtig ist: »Feiere deinen Geburtstag« oder »Feier deinen Geburtstag« oder »Feier' deinen Geburtstag«? Können Sie's mir sagen?

Antwort des Zwiebelfischs: »Feiere« ist zweifellos der korrekte Imperativ. Bei Verben auf -eln und -ern wird der Imperativ Singular mit -e gebildet. Allerdings kann dabei das unbetonte »e« in der Wortmitte wegfallen: »Sammle die Hefte ein!« statt »Sammele die Hefte ein«, »Schmettre den Ball in die linke Ecke!« statt »Schmettere den Ball in die linke Ecke!« – Daher erlaubt die Hochsprache neben »Feiere deinen Geburtstag« auch »Feire deinen Geburtstag«.

In der Umgangssprache fällt heute zumeist das »e« am Wortende weg: Aus »feiere« wird »feier«, aus »sammele« wird »sammel«, aus »wickele« wird »wickel«. Mein Grammatikbuch aus dem Jahre 1995 sieht diese Formen gar nicht vor, daher galten sie wohl – zumindest vor zehn Jahren – noch nicht als salonfähig.

Das könnte sich inzwischen geändert haben. Zumindest im norddeutschen Raum wird niemand daran Anstoß nehmen, wenn Sie ihn auffordern: »Nun feier mal schön deinen Geburtstag!« Auf einer teuren Glückwunschkarte ist aber nach wie vor die vollständige Form »feiere« zu bevorzugen. Denn wer 2,95 Euro für eine hübsch bedruckte Karte ausgibt, der sollte nicht plötzlich am »e« sparen.

Falsch ist allein die Form mit Apostroph (feier'). Beim Wegfall des Endungs-»e« wird nie ein Apostroph gesetzt, auch nicht im Imperativ.

Das gefühlte Komma

Dass die Orthografie nicht jedermanns Sache ist, ist bekannt. Noch weniger Freunde aber hat die Zeichensetzung. Die meisten Kommas werden nicht nach Regeln, sondern nach Gefühl gesetzt. Und Gefühle können trügen. Schlimmer als fehlende Kommas sind Kommas an Stellen, wo sie nicht hingehören. Und davon[,] gibt es leider sehr viele.

»Aus gegebenem Anlass, erinnere ich Sie erneut daran, dass das Aufrufen von Internet-Seiten mit pornografischen Inhalten während der Dienstzeiten nur im Notfall gestattet ist.« So steht es in einer Rund-Mail zu lesen, die der Chef eines Hamburger Unternehmens kürzlich an seine Mitarbeiter verschickte. Und dies ist, allerdings, ein Notfall!

Denn da hat sich ein Vorgesetzter in verantwortungsvoller Mission völlig unprofessionell von seinen Gefühlen hinreißen lassen und ein Komma aus dem Bauch heraus gesetzt! Ganz gleich, wie der »Anlass« ausgesehen haben mag, der ihn zu seiner E-Mail inspirierte, es gibt keinen Grund, ihn mittels eines Kommas vom Rest des Satzes abzutrennen. Die drei Wörter »Aus gegebenem Anlass« bilden keinen Nebensatz, und es handelt sich auch nicht um eine nachgestellte Erläuterung oder einen Einschub. Tatsächlich ist »Aus gegebenem Anlass« eine adverbiale Bestimmung und gehört als solche zum Hauptsatz.

Adverbiale Bestimmungen nennt man diese vielen kleinen Zusatzinformationen im Satz, die etwas über Art und Weise, Ort, Zeitpunkt und Grund einer Handlung aussagen und mit »wie«, »wo«, »wann« und »warum« erfragt werden können. Da sie nicht nur aus einzelnen Wörtern, sondern auch aus ganzen Wortgruppen bestehen können, werden sie häufig mit Nebensätzen verwechselt. Man fühlt, dass hier vielleicht womöglich irgendwie ein Komma hingehören könnte – und schon ist es passiert. Das geschieht zum Beispiel besonders häufig bei Sätzen, die mit »nach« beginnen:

»Nach endlosen Debatten und immer neuen Änderungsvorschlägen, gaben die Vermittler schließlich erschöpft auf und verließen die Sitzung.« Zugegeben, der Satz ist nicht gerade kurz, aber das allein rechtfertigt nicht, ihn aufs Geratewohl irgendwo in der Mitte aufzuschlitzen. Das Komma vor »gaben« ist falsch, daran ändern auch endlose Debatten und immer neue Vorschläge nichts.

Adverbiale Bestimmungen können sogar noch um einiges länger sein und werden trotzdem nicht mit einem Komma vom Satz abgetrennt: »Einen Tag nach dem Absturz einer ägyptischen Chartermaschine über dem Roten Meer, tauchen erste Hinweise auf schwere Sicherheitsmängel bei der Airline auf.« Auf der gekräuselten Stirn des Grammatikfreundes tauchen indes ernste Zweifel an der Notwendigkeit des Satzzeichens vor »tauchen« auf.

Gefühlte Kommas verunstalten Zeitungsartikel, Briefe, E-Mails und öffentliche Hinweise: »Außerhalb der Sommermonate, ist das Café nur bis 16 Uhr geöffnet«, steht auf einem Schild an einem Ausflugslokal am See. Es ist nicht schwer, sich auszumalen, wie so ein Schild entsteht. Der Erwin malt es und ruft dann seine Roswita »zum Gucken«. Roswita kommt und guckt, und weil sie meint, dass sie irgendetwas dazu sagen müsse, sagt sie: »Da fehlt noch was.« – »Wat denn?«, fragt Erwin. »Weiß nich'«, sagt Roswita, »aber irgendwas fehlt, das spür ich genau.« – »Also, der Strich über Café kann's nicht sein, der ist da, wie du siehst.« – »Nee, das mein ich auch nich'. Irgendwas anderes. Ein Komma oder so.« – »Ein Komma? Wo denn?« – »Da, wo die Stimme beim Lesen hochgeht, da muss ein Komma hin.«

Erwin liest den Text des Schildes noch einmal laut vor, allerdings ohne die Stimme an irgendeiner Stelle anzuheben. »Du liest das falsch«, sagt Roswita. »Außerhalb der Sommermo-na-^tee…« Sie zieht das e in die Länge wie ein Gummiband und hebt die Stimme, als wollte sie singen. Dann macht sie eine bedeutungsvolle Pause und sieht Erwin an. »Hier, meinst du?«, fragt er. Roswita nickt. Also nimmt Erwin den Stift und malt ein Komma hinter die Sommermonate. Doch wir ahnen es längst: Mit ihrem Gefühl lag Roswita falsch. Zwar stimmt es, dass das Komma oft dort zu finden ist, wo die Satzmelodie ihren Höhepunkt erreicht. Grundsätzlich aber erfüllt das Komma keine musikalische Funktion, sondern eine syntaktische.

»Im Unterschied zu seinem Freund Konrad hat Paul keinen Klavierunterricht genossen.« Manchem Leser mag es bei diesem Satz in den Fingern jucken, den einen oder anderen wird das spontane Bedürfnis überwältigen, zwischen »Konrad« und »hat Paul« ein Komma zu setzen. Doch das Kribbeln und die Überwältigung beruhen auf einer Täuschung. Denn auch hier handelt es sich um nichts weiter als um eine adverbiale Bestimmung.

Was eine solche von einem Nebensatz unterscheidet, ist das sogenannte »Prädikat«, der grammatische Kern, das gebeugte Verb. Im Unterschied zur adverbialen Bestimmung zeichnet sich ein Nebensatz immer durch das »Prädikat: verbvoll« aus:

»Nach Verlassen des Klassenzimmers …« Kam bislang ein Prädikat? Nein! Und deshalb kommt hier auch kein Komma! »… brachen die Schüler in Gelächter aus.«

»Nachdem sie das Klassenzimmer **verlassen hatten** …« Da! Das war ein Prädikat! Jetzt muss ein Komma her! »…, brachen die Schüler in Gelächter aus.«

Und gleich noch mal:

»Vor Anbruch des nächsten Tages [...?...] wollten sie Kapstadt erreicht haben.«
»Bevor der nächste Tag **anbrach**, wollten sie Kapstadt erreicht haben.«

Einige meinen darin einen weiteren lästigen Anglizismus zu erkennen. Denn im Englischen wird die adverbiale Ergänzung gelegentlich durch ein Komma abgetrennt: »After the rain, the sun shines again.« Das mag zwar richtig sein, doch inwieweit dieser englische Brauch Einfluss auf die deutsche Zeichensetzung hat, ist schwer zu beweisen. Sollte im Fall der gefühlten Kommas die englische Sprache als irreführendes Vorbild dienen, so hieße das ja, dass all diejenigen, die Probleme mit den deutschen Interpunktionsregeln haben, sich dafür umso besser mit den englischen auskennen. Demzufolge könnten ungefähr 95 Prozent der Deutschen besser Englisch als Deutsch.

Im Englischen gibt es andere Regeln, aber anscheinend ähnliche Probleme. Auch dort werden Kommas oft nach Gefühl gesetzt – mit zum Teil viel gravierenderen Auswirkungen als im Deutschen, denn der Beistrich hat im Englischen eine noch größere Bedeutung als bei uns. Die britische Autorin Lynne Truss veranschaulicht dies auf äußerst unterhaltsame Weise in ihrem Buch »Eats, Shoots & Leaves«, einer »kompromisslosen Einführung in die Interpunktion«. Der Titel spielt auf einen Witz an: Da kommt ein Panda in ein Café, bestellt ein Sandwich, frisst es auf, schießt zweimal in die Luft und geht. Der verwirrte Kellner erfährt beim Nachschlagen in einem (grammatisch fehlerhaften) Tierlexikon unter dem Stichwort *Panda*: »Eats, shoots and leaves.« Gemeint war: »Frisst Schößlinge und Blätter.« Doch das falsche, sinnentstellende Komma hinter »eats« führt dazu, dass sich die Aussage wie eine Aufzählung von Verben liest: »Frisst, schießt und geht.«

Für regelmäßige Verwirrung der Gefühle sorgen auch die Vergleichswörter »als« und »wie«. Dabei gilt auch hier: Es geht nur dann ein Komma voraus, wenn ein Prädikat folgt. Es folgen zunächst vier nebensatzlose Beispiele mit Kommaverbot und anschließend vier beispielhafte Nebensätze mit Kommagebot:

- Mir geht's so gut wie seit Jahren nicht mehr.
- Der Schaden war größer als zunächst angenommen.
- Er liebte sie mehr als je einen Menschen zuvor.
- In diesem Sommer hat es bei uns so viel geregnet wie sonst nirgends.

- Mir geht's so gut, wie es mir seit Jahren nicht mehr ging.
- Der Schaden war größer, als zunächst angenommen worden war.
- Er liebte sie mehr, als er je zuvor einen Menschen geliebt hatte.
- In diesem Sommer hat es bei uns so viel geregnet, wie es sonst nirgends geregnet hat.

Wenn man dies einmal begriffen hat, braucht man sich bei der Interpunktion nicht mehr auf seine trügerischen Gefühle zu verlassen. Man kann eiskalt und berechnend seine Kommas setzen, wo sie erforderlich sind, und mit wissendem Lächeln auf sie verzichten, wo sie fehl am Platze sind. Und das gesparte Gefühl könnte man stattdessen in den Stil investieren. Der hat es oft nötiger als die Interpunktion.

Woher stammt das Wort »Puff«?

Frage eines Lesers: Am Silvesterabend fuhr ich mit meiner Frau auf der großen Straße von Süden nach Norden durch Frankfurt. Nach der Brücke über den Main liegt rechterhand Frankfurts bekanntestes Bordell. Beim Passieren sagte meine Frau: »Schau mal, beim Puff haben sie die Weihnachtsbeleuchtung schon abgeschaltet!«, und ich fragte sie und jetzt Sie: Warum heißt ein Puff eigentlich Puff?

Antwort des Zwiebelfischs: »Puff« war der Name eines alten Brettspiels mit Würfeln. Das Wort ist die lautmalerische Umsetzung des dumpfen Geräuschs, das beim Aufschlagen der Würfel entsteht. Da man es früher noch mehr als heute vermied, jene Dinge, die als unschicklich oder gar anrüchig galten, beim Namen zu nennen, wurden Bordellbesuche im 18. Jahrhundert gern als Gesellschaftsspiele verklausuliert. Dies geschah auch zum Schutz der Kinder. Wenn die einen Satz aufschnappten, in dem das Wort »Puff« fiel, so dachten sie sich nichts dabei, weil Puff für sie ein Würfelspiel war. So wurde es schließlich zum Synonym für die Institution.

Während das »Puff«-Spiel irgendwann aus der Mode geriet, hat sein Name dank der allzeit existierenden Etablissements bis heute überlebt. Freilich taugt er längst nicht mehr zur Verschleierung. Heute bedient man sich anderer Umschreibungen wie »externer Kundentermin« oder »Überstunden im Büro«.

Das »Puff«-Spiel gibt es übrigens immer noch, es wird heute auch »Tricktrack« genannt. Am bekanntesten dürfte es aber unter seinem englischen Namen sein: »Backgammon«.

**Einmal kurz schneiden,
aber bitte nicht zu kurz schneiden!**

Bevor die Reform kam und alles änderte, konnte man einen Hund mal kurz halten und den Ehepartner nebenbei kurzhalten. Das ist heute nicht mehr erlaubt. Ob zusammen- oder auseinander geschrieben wird, richtet sich nicht mehr nach Betonung und Bedeutung, sondern nach abstrakten Kriterien.

Früher gab es eine Regel, die war so einfach und so logisch, dass es niemandem im Traum eingefallen wäre, etwas daran zu ändern. Sie lautete: Wird bei Zusammensetzungen aus Adjektiv und Verb nur das erste Wort betont, dann wird zusammengeschrieben; wird auch das zweite Wort betont, dann wird auseinander geschrieben. Und ob eine Fügung auf dem ersten oder auf dem zweiten Wort betont wird, richtete sich oft danach, ob ein neuer, ein übertragener Sinn entstanden war:

Man konnte seine Sache *gut* oder *schlecht machen*, und wenn man jemanden anschwärzen wollte, dann konnte man ihn *schlechtmachen*. Das ist heute anders, heute unterstreicht die Word-Rechtschreibprüfung das Wort »schlechtmachen« rot, wenn sie es nicht sogar automatisch in seine Bestandteile zerlegt. Früher gab es Aufgaben, die einem *leichtfielen*, und Bemerkungen, die *leicht fielen*, wenn man sich in Rage geredet hatte. Heute wird »leicht fallen« immer in zwei Wörtern geschrieben, ausnahms- und unterscheidungslos. Menschen, die *leicht verletzt* waren, waren eben besonders empfindlich, aber keineswegs immer gleich Unfallopfer, so wie die, die *leichtverletzt* waren. Da es heute nur noch »leicht verletzt« gibt, fällt auch hier die Unterscheidungsmöglichkeit weg. Am deutlichsten wurde der Unterschied beim Friseur: Wenn der die Haare nur *kurz geschnit-*

ten hatte, mussten sie deshalb noch nicht *kurzgeschnitten* sein. Heute ist die Zusammenschreibung von »kurz« und »geschnitten« nicht mehr erlaubt.

Die alte Regel richtete sich nach Betonung und Bedeutung der Wörter. Die neue Regel richtet sich nach Merkmalen, die längst nicht immer auf den ersten Blick erkennbar sind. Sie sieht Getrenntschreibung vor, wenn der erste Bestandteil ein Adjektiv ist, das gesteigert oder erweitert werden kann. Zusammenschreibung ist nur noch in den Fällen erlaubt, in denen das Adjektiv »absolut« ist. Eine ehemals organische Regel, die jedermann intuitiv beherrschen konnte, wurde durch eine abstrakte Regel ersetzt. Bevor man zwei Wörter zusammenschreibt, muss man sich Klarheit darüber verschaffen, ob sich das erste nicht vielleicht steigern oder erweitern lässt. Hat das die deutsche Rechtschreibung wirklich vereinfacht, so wie es die Reformer versprochen hatten?

Es wäre sicherlich interessant, sich hierüber mal mit einem Schüler zu unterhalten, der mit der neuen Orthografie großgeworden – Pardon: groß geworden ist. Vielleicht ist das alles für ihn ganz schlüssig. Wer seinen Schulabschluss noch nach den alten Regeln gemacht hat, für den ist das neue Prinzip der Getrennt- und Zusammenschreibung nur schwer verständlich. Es führte nämlich zu einer ganzen Reihe von Änderungen, die bis dato Gültiges teilweise ins Gegenteil verkehrten:

Früher wurde am Satzanfang *groß geschrieben*, während Tugenden *großgeschrieben* wurden. Heute ist es genau umgekehrt: Am Satzanfang wird *großgeschrieben*, Tugenden werden *groß geschrieben*.

Denn die Großschreibung am Satzanfang ist ein Absolutum, da kann man nicht mal größer, mal kleiner schreiben, sondern eben nur groß. Die Tugenden indes können zum Beispiel *besonders groß geschrieben* werden, »groß« ist also erweiterbar, und daher gilt hier Getrenntschreibung.

Wer gestern noch *hochqualifiziert* war, ist heute bestenfalls noch *hoch qualifiziert*, denn auch hier lässt sich das Adjektiv erweitern (»besonders hoch qualifiziert«) oder steigern, sprich: Es könnte durchaus jemanden geben, der *noch höher qualifiziert* ist. Eine *hochschwangere* Frau ist hingegen nicht *hoch schwanger*; denn man unterscheidet normalerweise nicht zwischen höher und weniger höher schwangeren Frauen; »hoch« ist hier absolut gemeint, daher bleibt es bei der Zusammenschreibung.

Das mag man vielleicht noch alles einsehen, doch die neue Regel hat einen weiteren Nachteil: Die Antwort auf die Frage, wann ein Adjektiv gesteigert oder erweitert werden kann und wann es etwas Absolutes darstellt, liegt nicht immer auf der Hand, oftmals ist es Ansichtssache. So findet man in den einschlägigen Nachschlagewerken denn auch immer wieder den Hinweis: »In Zweifelsfällen ist sowohl Getrennt- als auch Zusammenschreibung möglich.«

Und Zweifelsfälle gibt es zuhauf: Früher war ein Star *wohlbekannt*, heute muss er sich fragen, ob er *wohl bekannt* ist. Da »wohl« außer »sehr« auch die Bedeutung »vermutlich«, »möglicherweise« hat, hat die Reform hier den Boden für unzählige peinliche Situationen bereitet. Am Ende stellt sich noch heraus, dass die Reform gar nicht wohldurchdacht war, sondern zwar wohl durchdacht, aber nicht genug.

Eingangs wurde festgestellt, dass man »schlechtmachen« heute nicht mehr in einem Wort schreiben kann. Die Unterscheidung zwischen dem konkreten »etwas schlecht machen« und dem übertragenen »jemanden schlechtmachen« fällt einfach weg. Bei »gutmachen« hingegen ist sie geblieben. Man kann seine Sache *gut machen* und einen Fehler *gutmachen*.

Wände, die einst vollgeschmiert waren, sind den neuen Regeln entsprechend voll geschmiert. Durch die zwangsverordnete Auseinanderschreibung lesen sich alle ehemaligen Zusammensetzungen mit »voll« heute so, als habe »voll« die Funktion des verstärkenden Jargonwortes: voll gepumpt, voll gestopft, voll besetzt, voll bescheuert…

Apropos bescheuert: Warum schreibt man nach der Rechtschreibreform »lahm legen« in zwei Wörtern, »stilllegen« aber nach wie vor in einem (dafür aber jetzt mit drei l)? Der Verkehr wird in zwei Wörtern *lahm gelegt*, die Fabrik wird in einem *stillgelegt*. Wie lässt sich das begründen?

Der Steigerungs- und Erweiterungsmerksatz greift hier nicht. Zwar ist »lahm« ein Adjektiv, das theoretisch gesteigert werden kann (»Heute arbeitet sie noch lahmer als gestern«), doch wer würde von einem *noch lahmer gelegten* Verkehr sprechen? Freilich kann »lahm« durch Wörter wie »völlig« und »total« erweitert werden. Aber das gilt genauso für die stillgelegte Fabrik, die lässt sich zum Beispiel *komplett stilllegen*, aber eben nicht *komplett still legen*.

Ob solcher Unstimmigkeiten mag mancher das Gefühl haben, sein Verstand sei vorübergehend *lahmgelegt* [Achtung: alte Rechtschreibung!], und sich wünschen, die Rechtschreibreform würde doch noch *still* (und heimlich zu den Akten) *gelegt*.

Die deutsche Schriftsprache zeichnet sich von jeher durch eine starke Tendenz zur Zusammenschreibung aus. Wortgruppen, die als Einheit empfunden werden, werden früher oder später auch in einem Wort geschrieben. Die Rechtschreibreform greift hier in natürlich gewachsene Strukturen ein und reißt wieder auseinander, was lange harmonisch verbunden war. Was wohl der selige Willy Brandt (»Jetzt wächst zusammen, was zusammengehört«) dazu sagen würde?

Einige Beispiele für alte und neue Getrennt- und Zusammenschreibung

alte Schreibweise	neue Schreibweise
Alle Babys müssen lernen, allein zu stehen, viele Erwachsene müssen lernen, alleinzustehen.	Alle Babys müssen lernen, allein zu stehen, viele Erwachsene müssen lernen, allein zu stehen.
Einige sind andersgesinnt, und andere sind andersgläubig.	Einige sind anders gesinnt und andere sind andersgläubig.
Früher gab es frisch gebackenen Kuchen für den frischgebackenen Ehemann.	Heute gibt es frisch gebackenen Kuchen für den frisch gebackenen Ehemann.
Am Satzanfang wird groß geschrieben; Pünktlichkeit wird bei uns großgeschrieben.	Am Satzanfang wird großgeschrieben; Pünktlichkeit wird bei uns groß geschrieben.
Das hast du gut gemacht; er hat den Fehler gutgemacht.	Das hast du gut gemacht; er hat den Fehler gutgemacht.
Die Sahne wurde hartgeschlagen; der Junge wurde hart geschlagen.	Die Sahne wurde hart geschlagen; der Junge wurde hart geschlagen.
Ich bin hochmotiviert und unterbezahlt.	Ich bin hoch motiviert und unterbezahlt.
Kannst du das mal kurz halten? Du darfst den Paul nicht so kurzhalten.	Kannst du das mal kurz halten? Du darfst den Paul nicht so kurz halten.
Der Verkehr wurde lahmgelegt; die Fabrik wurde stillgelegt.	Der Verkehr wurde lahm gelegt; die Fabrik wurde stillgelegt.
Einfache Aufgaben können leichtfallen; alte Menschen können leicht fallen.	Einfache Aufgaben können leicht fallen; alte Menschen können leicht fallen.
Schallplatten sollten nicht schief liegen; ich fürchte, daß wir in dieser Sache völlig schiefliegen.	Schallplatten sollten nicht schief liegen; ich fürchte, dass wir in dieser Sache völlig schief liegen.
Der Patient hat den Arzt schlechtgemacht, weil der seine Sache schlecht gemacht hat.	Der Patient hat den Arzt schlecht gemacht, weil der seine Sache schlecht gemacht hat.
Pessimisten sind bekannt dafür, daß sie schwarzsehen und die Dinge schwarzmalen.	Pessimisten sind bekannt dafür, dass sie schwarzsehen und die Dinge schwarz malen.

alte Schreibweise	neue Schreibweise
Schwerreiche Eltern haben mitunter schwererziehbare Kinder.	Schwerreiche Eltern haben mitunter schwer erziehbare Kinder.
Die Konfitüre ist selbstgemacht; das habe ich selbst gewußt.	Die Konfitüre ist selbst gemacht; das habe ich selbst gewusst.
Er war ein wohlhabender und wohlbekannter Mann.	Er war ein wohlhabender und wohl bekannter Mann.

Die gute Nachricht zu Schluss: Die Rechtschreibkommission hatte ein Einsehen und hat die umstrittene Neuregelung der Getrenntschreibung von zusammengesetzten Verben teilweise wieder zurückgenommen. Genauer gesagt: Neben der neuen Schreibweise ist auch die alte wieder erlaubt. In der 23. Auflage des Dudens findet man außer »kurz geschnittenen Haaren« auch wieder »kurzgeschnittene Haare«, und zusätzlich zur »selbst gemachten Konfitüre« ist auch »selbstgemachte Konfitüre« wieder zu haben. Dies gilt aber nicht für alle in dieser Geschichte beschriebenen Beispiele. Schief laufen, schlecht machen und lahm legen müssen weiterhin in zwei Wörtern geschrieben werden. Ob es sinnvoll ist, für einige Verben zwei unterschiedliche Schreibweisen zuzulassen, muss dahingestellt bleiben. Die Reform der Rechtschreibreform ist noch nicht abgeschlossen. Und der Widerstand gegen die Ungereimtheiten der neuen Regeln zur Getrennt- und Zusammenschreibung wird weiter bestehen, um nicht zu sagen: weiterbestehen.

Alptraum oder Albtraum?

Frage eines Lesers: Wie wird das Wort Alptraum geschrieben? In den Zeitungen sieht man es mal mit »p« und mal mit »b«! Durch die Rechtschreibreform wurde die Schreibweise geändert, aber ich weiß nicht, welches die alte und welches die neue ist oder ob beides erlaubt ist.

Antwort des Zwiebelfischs: Dieses Wort bereitet unzähligen Lehrern, Schülern, Redakteuren, Setzern und Korrekturlesern nicht nur Alpdrücken, sondern auch noch Albdrücken. Tatsächlich sind seit Verabschiedung der Rechtschreibreform beide Schreibweisen zulässig. Bis dahin, also bis zum 1. August 1998, durfte das Wort nur mit »p« geschrieben werden. Das erschien vielen aber nicht logisch, es wurde immer wieder argumentiert, dass der Nachtmahr doch nichts mit den Alpen zu tun habe, sondern mit Alben. Womit natürlich nicht Schallplatten oder Fotoalben gemeint waren, sondern die germanischen Geister, die Alben (auch Elben, heute: Elfen), die ursprünglich als Naturgeister der Unterwelt oder als Zwerge angesehen wurden, später von der Kirche als Dämonen und Gehilfen des Teufels stigmatisiert wurden, die sich den Menschen im Schlaf auf die Brust setzen und damit den sogenannten Alpdruck verursachten. Wie der Traum darf auch der Druck nun sowohl mit »p« als auch mit »b« geschrieben werden.

Das Wort Alb oder Alp wurde später verdrängt von den Begriffen Elf und Elfe, die zunächst auch noch als bösartig galten und erst im 18. Jahrhundert und in der Romantik zu anmutigen, lieblichen Zauberwesen verklärt wurden. »Alb« oder »Alp« blieb nur noch in den Zusammensetzungen Alptraum und Alpdruck sowie im Namen des Zwergenkönigs Alberich erhalten.

Es bleibt fraglich, ob es eine kluge Entscheidung der Rechtschreibreformer war, beide Schreibweisen nebeneinander gelten zu lassen. Ein Teil der Deutschen hält die eine Form für richtig, ein anderer Teil die andere. Der Rest ist restlos verunsichert und benutzt das Wort überhaubt – Pardon: überhaupt nicht mehr.

Obwohl ich selbst mit der alten Schreibweise »Alptraum« groß geworden bin und mich gut an sie gewöhnt hatte, halte ich es für vernünftig, eine Empfehlung zugunsten der neuen Schreibweise mit »b« auszusprechen. Da inzwischen aber eine ganze Reihe von Zeitungen und Verlagen zur alten Rechtschreibung zurückgekehrt ist, wird man den »Albtraum« wohl auch weiterhin als »Alptraum« lesen können.

Kasus Verschwindibus

In der Schule lernen wir, dass die deutsche Sprache vier Fälle hat. Später aber stellen wir fest, dass es noch einen fünften geben muss: den unsichtbaren Fall, auch Kasus Verschwindibus genannt. Man findet ihn zum Beispiel am Ende des Barock und beim US-Präsident.

Sommerzeit ist Sauregurkenzeit, da muss schon mal der eine oder andere Veteran hervorgezerrt werden, um die Spalten einer Zeitung zu füllen. Und so darf man sich endlich auf Neues über Niki Lauda freuen, denn SPIEGEL ONLINE verspricht ein Interview »mit dem Formel-1-Veteran«. Mit dem Formel-1-Veteran? Fehlt da nicht etwas? Ich zeige den Satz einem Kollegen, der nimmt einen Stift und quetscht ein »Ex-« vor »Formel-1-Veteran«. Völliger Quatsch natürlich: einmal Veteran, immer Veteran. Was tatsächlich fehlt, ist die Endung: mit dem Veteran**en**. Denn der Veteran ist nicht nur alt, sondern auch gebeugt – jedenfalls im Dativ. Und die Präposition »mit« erfordert nun mal den Dativ. Sie »regiert« den Dativ, wie der Grammatikaner sagt.

Das traurige Schicksal des Veteranen stellt beileibe keinen Einzelfall dar. Mit folgender Überschrift wurde die Hinrichtung eines amerikanischen Soldaten im Irak gemeldet: »Terroristen exekutieren US-Soldat«. Bedauerlich war nicht nur der Inhalt der Meldung, sondern auch der Umgang mit der Grammatik. »Es muss ›US-Soldaten‹ heißen«, wende ich ein, »denn der Soldat wird in Dativ und Akkusativ zum Soldaten.« – »Aber dann denken die Leser, dass mehrere Soldaten erschossen wurden«, verteidigt sich der Textchef, »das wäre doch missverständlich. So ist es klarer!« So ist es auf jeden Fall falscher. Man muss sich schon entscheiden, ob man das Risiko eingeht, der Leser könne zwei Sekunden lang an einen Plural glauben, oder ob man ihn lieber glauben lassen will, man habe Probleme mit der deutschen Sprache.

Dasselbe Problem steckt auch in der folgenden Aussage: »Die Mehrheit der Wahlmänner und -frauen hat sich auf Horst Köhler als Bundespräsident festgelegt«. Im Nominativ ist Horst Köhler als Bundespräsident korrekt, doch im Akkusativ kann und darf man ihn nur als Bundespräsidenten bezeichnen. Und wenn Gerhard Schröder nach Washington fliegt, dann trifft er den US-Präsidenten, nicht den US-Präsident. Jedem »Agent« läuft es dabei eiskalt den Rücken hinunter.

Nicht viel besser ist es um den berühmten Schönheitschirurgen bestellt, dessen Endsilbe wohl einem Lifting zum Opfer gefallen sein muss, wenn der Fernsehsprecher ihn als »berühmten Schönheitschirurg« vorstellt. Ganz zu schweigen vom Kandidaten der Quizsendung, der permanent zum »Kandidat« verkürzt wird: »Dann bitte ich jetzt unseren nächsten Kandidat zu mir!« Und gleich danach dieser Spruch in der Werbung: »Jetzt gibt es den neuen Swiffers-Staubmagnet!« Da fragt man sich unwillkürlich: Wie soll an dem Ding der Staub haften bleiben, wenn ihm doch schon in der Werbung die Endsilbe abfällt?

Die Neigung, bei schwach gebeugten männlichen Hauptwörtern die Endungen im Dativ und im Akkusativ einfach unter den Tisch fallen zu lassen, ist sehr stark ausgeprägt. Sätze wie »Dem Patient geht's gut« oder »Lukas, lass den Elefant in Ruhe« sind mittlerweile häufiger zu hören als die korrekt formulierten Aussagen »Dem Patienten geht's gut« und »Lukas, lass den Elefanten in Ruhe«. Die Unterlassung der Deklination ist umgangssprachlich weit verbreitet, standardsprachlich jedoch gilt sie als falsch.

Wenn die Bank auf einem Schild darauf hinweist, dass wegen einer Computerumstellung heute leider »keine Kontoauszüge am Automat« erhältlich seien, brennt es einem in den Augen. Wenn der Komiker im Fernsehen freimütig berichtet, wie er sich letztens wieder »zum Idiot gemacht« habe, kribbelt es einem in den Ohren. Wenn eine Illustrierte »neue Enthüllungen über den norwegischen Prinz« verspricht, bekommt man schon rote Flecken, und wenn kleine handgeschriebene Kärtchen an hübsch verpackten Geschenken verkünden, dies sei »für den Konfirmand«, dann wird der Juckreiz unerträglich.

Kennen Sie jemand, der sich von niemand beugen lässt? Das wäre – in grammatischer Hinsicht – keine gewinnbringende Bekanntschaft. Sollten Sie aber jemanden kennen, der niemandem einen Ge-Fall-en ausschlägt, dann dürfen Sie sich glücklich schätzen. Der Verzicht auf die Endung bei »jemand« und »niemand« im Dativ und im Akkusativ ist heute nahezu selbstverständlich. Und er hat bereits so lange Tradition, dass er mittlerweile von den Grammatikwerken gebilligt wird. Nicht gebilligt werden hingegen »Neue Erkenntnisse über den Höhlenmensch«, »Fotografien vom Planet Erde« und schon gar nicht die »Jagd auf den letzten Leopard«. Zu wünschen wäre vielmehr, dass, solange noch Menschen auf diesem Planeten leben, sie sich für den Leoparden und andere bedrohte Arten einsetzen und den Kasus Verschwindibus bekämpfen werden.

Am schlimmsten bedrängt vom Kasus Verschwindibus ist der Genitiv, und zwar bei Fremdwörtern männlichen und sächlichen Geschlechts. Viele scheinen zu glauben, man könne auf die Genitivendung verzichten; so mancher hält ihre Verwendung gar für falsch. Und so kommt es zu Ausstellungen über »Die Kulturgeschichte des Kaffee« (statt des Kaffees) und zu Büchern über »Die Geheimnisse des Islam« (statt des Islams). Man liest vom »Vorsitzenden des Komitee« und studiert das »Programm des diesjährigen Festival«. Und immer wieder hört man von den »Terroranschlägen des 11. September«, statt »des 11. Septembers«. Wenn man die

Verursacher des September-s-Wegfalls fragt, was sie dazu veranlasst habe, so antworten die meisten, die Form ohne »s« klinge in ihren Ohren »irgendwie richtiger«. Begründungen, die das Wort »irgendwie« enthalten, die also irgendwie so aus dem Bauch heraus entstanden sind, sind irgendwie nicht richtig überzeugend. Natürlich muss es »des 11. Septembers« heißen, was sollte am Weglassen eines Schlusslaut elegant sein? (Wenn Sie eben zusammengezuckt sind und denken: Es muss doch »Schlusslautes« heißen, dann ist das der beste Beweis.) Der Verzicht auf die Genitivendung bei Fremdwörtern wird vom Duden als falsch bezeichnet. Zum Glück! Sonst wäre dieses Buch nämlich kein Beitrag zur Rettung des Genitivs, sondern höchstens einer »zur Rettung des Genitiv«.

Und das wäre nicht genug! Denn der Genitiv braucht jede verfügbare Hilfe, um die Ausbreitung des Kasus Verschwindibus einzudämmen. Sonst steht er irgendwann völlig nackt da. Dann ist es »in den Weiten des Orient« genauso öd und leer wie »am Rande des Universum«.

Und ein bisschen mehr Beugungen wünscht man sich auch für die anscheinend endlose und vor allem endungslose »Erfolgsgeschichte des Kerpener vom Kart-Pilot zum Top-Favorit des deutschen Motorsport«. Wo der kassierte Kasus grassiert, wird man früher oder später des Wahnsinn fette Beute.

Lasst ihnen ihre Endungen! (Nur ein paar Beispiele von vielen)

Nominativ	Genitiv	Dativ	Akkusativ
der Agent	des Agenten	dem Agenten	den Agenten
der Architekt	des Architekten	dem Architekten	den Architekten
der Artist	des Artisten	dem Artisten	den Artisten
der Assistent	des Assistenten	dem Assistenten	den Assistenten
der Automat	des Automaten	dem Automaten	den Automaten
der Bandit	des Banditen	dem Banditen	den Banditen
der Bär	des Bären	dem Bären	den Bären
der Chirurg	des Chirurgen	dem Chirurgen	den Chirurgen
der Demokrat	des Demokraten	dem Demokraten	den Demokraten
der Diamant	des Diamanten	dem Diamanten	den Diamanten
der Dirigent	des Dirigenten	dem Dirigenten	den Dirigenten
der Elefant	des Elefanten	dem Elefanten	den Elefanten
der Fabrikant	des Fabrikanten	dem Fabrikanten	den Fabrikanten
der Favorit	des Favoriten	dem Favoriten	den Favoriten
der Fotograf	des Fotografen	dem Fotografen	den Fotografen
der Fürst	des Fürsten	dem Fürsten	den Fürsten
der Graf	des Grafen	dem Grafen	den Grafen
der Held	des Helden	dem Helden	den Helden
der Idiot	des Idioten	dem Idioten	den Idioten
der Jurist	des Juristen	dem Juristen	den Juristen
der Kamerad	des Kameraden	dem Kameraden	den Kameraden
der Kandidat	des Kandidaten	dem Kandidaten	den Kandidaten
der Komet	des Kometen	dem Kometen	den Kometen
der Konfirmand	des Konfirmanden	dem Konfirmanden	den Konfirmanden

Nominativ	Genitiv	Dativ	Akkusativ
der Konkurrent	des Konkurrenten	dem Konkurrenten	den Konkurrenten
der Leopard	des Leoparden	dem Leoparden	den Leoparden
der Magnet	des Magneten	dem Magneten	den Magneten
der Mensch	des Menschen	dem Menschen	den Menschen
der Narr	des Narren	dem Narren	den Narren
der Patient	des Patienten	dem Patienten	den Patienten
der Patriarch	des Patriarchen	dem Patriarchen	den Patriarchen
der Patriot	des Patrioten	dem Patrioten	den Patrioten
der Pilot	des Piloten	dem Piloten	den Piloten
der Pirat	des Piraten	dem Piraten	den Piraten
der Planet	des Planeten	dem Planeten	den Planeten
der Polizist	des Polizisten	dem Polizisten	den Polizisten
der Präsident	des Präsidenten	dem Präsidenten	den Präsidenten
der Prinz	des Prinzen	dem Prinzen	den Prinzen
der Satellit	des Satelliten	dem Satelliten	den Satelliten
der Soldat	des Soldaten	dem Soldaten	den Soldaten
der Spatz	des Spatzen	dem Spatzen	den Spatzen
der Student	des Studenten	dem Studenten	den Studenten
der Terrorist	des Terroristen	dem Terroristen	den Terroristen
der Trabant	des Trabanten	dem Trabanten	den Trabanten
der Vagabund	des Vagabunden	dem Vagabunden	den Vagabunden
der Veteran	des Veteranen	dem Veteranen	den Veteranen
der Zar	des Zaren	dem Zaren	den Zaren
der Zyklop	des Zyklopen	dem Zyklopen	den Zyklopen

Beugt sich der Herr zum Herrn oder zum Herren?

Frage einer Schülerin aus Buxtehude: Als künftige Dame wüsste ich gern rechtzeitig, wie »der Herr« korrekt gebeugt wird. Heißt es »des Herrn« oder »des Herren«? Dient der Diener einem Herrn oder einem Herren? Erhebt sich der Sklave gegen seinen Herrn oder gegen seinen Herren? Oder spielt der Unterschied womöglich keine Rolle?

Antwort des Zwiebelfischs: Der kleine Unterschied zwischen »Herrn« und »Herren« spielt eine große Rolle. Die Endung verrät, ob wir es mit *einem Herrn* oder mit *mehreren Herren* zu tun haben. Der Herr lässt sich in der Einzahl außer einem »n« nichts anhängen:

Was wünscht der Herr? (Nominativ)
Dort steht das Gepäck des Herrn von Zimmer 307. (Genitiv)
Bitte geben Sie dem Herrn diesen Brief von mir. (Dativ)
Fragen Sie den Herrn dort drüben! (Akkusativ)

Die Formen auf -en markieren die Mehrzahl:

Was wünschen die Herren? (Nominativ)
Dort steht das Gepäck der Herren von Zimmer 307. (Genitiv)
Bitte geben Sie den Herren diesen Brief von mir. (Dativ)
Fragen Sie die Herren dort drüben! (Akkusativ)

Der Herr stellt innerhalb seiner Deklinationsgruppe eine Ausnahme dar, denn andere Wörter wie der Bär oder der Graf, die zur selben Gruppe gehören, weisen im Genitiv, Dativ und Akkusativ keinen Unterschied zwischen Singular und Plural auf.

   Mit Ausnahme der direkten Anrede, bei der »Herr« immer

im Nominativ steht (»Schön, Sie zu sehen, Herr Kaiser!«),
wird das »Herr« vor Namen und Titeln immer gebeugt:

Sie sitzen auf Herrn Künneckes Platz! (Genitiv)
Der Hund gehört Herrn Wagner. (Dativ)
Wir warten auf Herrn Forster. (Akkusativ)
Kennen Sie Herrn Dr. Metzler? (Akkusativ)

Auch ist es nach wie vor üblich, auf Briefen den Adressaten
zu beugen:

Herrn Konrad Meier
Fasanenstieg 14
22 301 Hamburg

Man kann das »Herrn« auch weglassen, aber wenn man es
schreibt, muss man es beugen. »Herr Konrad Meier« als
Adressangabe auf einem Brief gilt als unkorrekt.

Der angedrohte Wille

»Der Minister kündigte an, die Probleme noch in dieser Legislatur-
periode anpacken zu wollen.« Das klingt im ersten Moment nach
Initiative. Doch wenn man diesen Satz mit dem Finger berührt, zerfällt er zu Staub. Schuld daran ist diesmal aber nicht die Regierung,
sondern ein weit verbreiteter »Übersetzungsfehler«.

»Wenn du mich küsst, werde ich imstande sein, mich in einen wunderschönen Prinzen verwandeln zu können«, sagte
der Frosch, »und ich gelobe, dich lieben zu wollen, und ich
verspreche, dir für alle Zeit treu sein zu wollen.« Woraufhin
die Prinzessin den Frosch packte und gegen einen Beton-
pfeiler schleuderte, an dem er mit einem unappetitlichen Geräusch zerplatzte. Sie tat gut daran, denn die Versprechun-
gen des Frosches taugten nichts.

Inhaltsleeres Froschgequake hört man allerorten – vor allem natürlich in der Politik. Doch nicht immer sind es die
Politiker selbst, die beim Sprechen Seifenblasen produzie-
ren. Oft werden ihre Worte erst bei der Wiedergabe zu Seifenblasen.

»Bundeskanzler Schröder kündigte an, die Bedingungen
für Arbeit verbessern zu wollen«, ist in der Zeitung zu lesen.
Na bitte, immerhin, es tut sich was. Nach all den Fehlschlä-
gen und Enttäuschungen der letzten Zeit geht der Kanzler
wieder in die Offensive, packt was an, setzt sich mit Unter-
nehmern und Gewerkschaftern an einen Tisch ... und kün-
digt Verbesserungen an. Alles wird gut!

Doch halt – haben wir da nicht etwas überlesen? Was genau kündigte Schröder laut der Zeitung an? Gleich mal die
Goldwaage rausholen und die Wörter wiegen. Und siehe
da: Die Waage zeigt überhaupt nichts an. Also doch wieder
nichts als heiße Luft! Das Überraschungsei ist leer!

Wie kommt's? Die Antwort auf diese Frage liegt in einer syntaktischen Fallgrube, in die immer dann jemand stolpert, wenn direkte Rede in indirekte verwandelt wird. Zu Beginn stand ein großes Wort im Raum: »Wir wollen die Bedingungen für Arbeit verbessern.« Schröder war's, der das gesagt hat. Die korrekte Wiedergabe dieser Aussage in indirekter Rede liest sich so: »Schröder sagte, er wolle die Bedingungen für Arbeit verbessern.« Wenn aber das Wort »sagen« durch »ankündigen« ersetzt wird, enthält der Satz auf einmal mehr Wörter als nötig.

Durch diesen »Übersetzungsfehler« wurden die Worte des Kanzlers entwertet, denn von der versprochenen Verbesserung bleibt nichts weiter als die Aussicht auf ein bisschen guten Willen. Das Wollen ist bereits im Ankündigen enthalten, die Niederschrift des Modalverbs ist nicht mehr nötig. Es genügt völlig, wenn man schreibt: »Schröder kündigte an, die Bedingungen für Arbeit zu verbessern.«

Was für die Ankündigung gilt, gilt übrigens auch für das Versprechen: »Der Vorstand versprach, im nächsten Jahr deutlich mehr Umsatz machen zu wollen.« Ein Lichtblick in Zeiten der Rezession, könnte man meinen. Doch so, wie dieser Satz formuliert ist, bedeutet er nicht mehr, als dass eine Gruppe von hoch bezahlten Managern den versammelten Aktionären die Entwicklung ihres Willens in Aussicht gestellt hat.

»Zu offensichtlich ist Bsirskes Versuch, sich damit als einer der mächtigsten Gewerkschaftsführer persönlich profilieren zu wollen«, war über den Ver.di-Chef zu lesen. Netter Versuch! Bsirske bemüht sich um Gestaltung seines Willens – immerhin ein Anfang.

In einem Text über einen in Deutschland spielenden brasilianischen Fußballprofi heißt es: »Am Dienstag drohte der 29-Jährige seinen Chefs, seinen Vertrag über 2004 hinaus nicht verlängern zu wollen.« Müssen die Chefs deswegen nun zittern? Der Brasilianer hat doch nur mit seinem Willen gedroht! Eine echte Drohung hört sich anders an. Die klingt zum Beispiel so: »Am Dienstag drohte der 29-Jährige, seinen Vertrag über 2004 hinaus nicht zu verlängern.«

Ankündigen, versprechen, drohen, erwägen – all diese Wörter verfügen bereits über einen eingebauten Willen – serienmäßig, ohne Aufpreis. Wer also sparen will, hat hier die Gelegenheit, ein paar überflüssige Silben zu sparen.

»Der Gewerkschaftssprecher drohte an, wenn die Regierung zu keinem Entgegenkommen bereit sei, eine Urabstimmung durchführen zu wollen.« Da kaum damit zu rechnen ist, dass sich die Regierung mit einer Willensandrohung beeindrucken lässt, wäre es sinnvoller, wenn der Gewerkschaftssprecher drohte, »eine Urabstimmung durchzuführen«.

Wollen, dürfen, können, brauchen – all dies sind Modalverben, die im Nebensatz nicht benötigt werden, wenn der Hauptsatz bereits auf ein Wollen, ein Dürfen, ein Können oder ein Brauchen hinweist.

»Bush sprach Kerry die Fähigkeit ab, die USA regieren zu können«, liest der Sprecher der »Tagesschau« vor. Da haben wir dasselbe Problem: Die Aussage ist redundant. Es hätte genügt zu sagen: »Bush sprach Kerry die Fähigkeit ab, die USA zu regieren.« Denn vorne »fähig«, hinten »können« ist des Guten zu viel. Auch »imstande« oder »in der Lage sein«, etwas tun »zu können«, schießt sprachlich über das Ziel hinaus.

Genauso vergaloppiert hat sich die Filmagentur, die in ihrer Werbebroschüre schreibt: »In diesem spannenden Action-Movie gerät Black in einen Strudel von Ereignissen, der ihn zwingt, sich selbst und sein Leben völlig neu definieren zu müssen.«

Und nicht besser der Buchrezensent, der seine Inhaltsangabe mit den Worten schließt: »Am Ende wird ihm erlaubt, endlich zu seiner Familie zurückkehren zu dürfen.«

Es kann nie schaden, beim Beenden eines Satzes noch mal auf den Anfang zu schielen und sich zu vergewissern, dass man nicht gerade dabei ist, die Aussage zu einer leeren Blase zu verquirlen.

Am Montag, dem oder den?

Frage eines Lesers: Lieber Zwiebelfisch, wie heißt es richtig: Montag, *den* 1.3.2004 oder Montag, *dem* 1.3.2004?

Antwort des Zwiebelfischs: Leider gibt es in dieser Frage keine eindeutige Festlegung. Ich empfehle stets, die Monatsangabe in den gleichen Kasus zu setzen wie den Wochentag, denn das ist auf jeden Fall korrekt und außerdem gut zu merken. Wenn der Wochentag im Dativ steht (und das ist immer der Fall, wenn »am« davor steht), dann setze man auch die Monatsangabe in den Dativ (»dem«). Steht der Wochentag im Akkusativ oder Nominativ, setze man auch die Datumsangabe in den Akkusativ (»den«) oder Nominativ (»der«). Zur Verdeutlichung ein paar Beispiele:

· Wir treffen uns Montag, den 1.3.2004.
· Wir treffen uns am Montag, dem 1.3.2004.
· Das hat Zeit bis nächsten Freitag, den 12. März.
· Das hat Zeit bis zum nächsten Freitag, dem 12. März.
· Es war Donnerstag, der 30. Mai, als der Apotheker Ringelhuth mit seinem Neffen Konrad in die Südsee reiste.
· Es war am Donnerstag, dem 30. Mai, als der Apotheker Ringelhuth mit seinem Neffen Konrad in die Südsee reiste.

Und für alle, die Hochzeitseinladungen verschicken:

· Die Trauung findet statt: Samstag, den 17. Juli 2004, um 14 Uhr in der St.-Joseph-Kapelle
oder:
· Die Trauung findet am Samstag, dem 17. Juli 2004, um 14 Uhr in der St.-Joseph-Kapelle statt.

Der traurige Konjunktiv

Am Sonntag gehen Vater und Sohn regelmäßig in den Sprachzoo. Dort schauen sie sich vom Aussterben bedrohte grammatische Phänomene an. Am liebsten mögen sie den Konjunktiv. Gerne hülfen sie ihm, denn sie haben Angst, er stürbe aus.

Vergnügt schlendern Vater und Sohn durch den Sprachzoo. Ehrfürchtig verharren sie vor dem Käfig mit der Aufschrift »Genitiv – Bitte nicht erschrecken!«, spazieren weiter zum »Ph«-Gehege, wo sie so selten gewordene Wörter wie »Photographie« und »Telephon« bewundern, lassen sich vom Wärter erklären, dass es mit der Fortpflanzung der beiden letzten Eszetts auch in diesem Jahr wieder nicht klappen werde, und kommen schließlich vor dem Käfig mit dem Konjunktiv an. »Der sieht immer so traurig drein«, sagt der Sohn voller Mitgefühl, »der kann einem richtig Leid tun!« – »Er würde sich bestimmt wohler fühlen, wenn es jemanden geben würde, der sich mit ihm unterhalten würde«, sagt der Vater. Daraufhin stößt der Konjunktiv einen herzerweichenden Klagelaut aus. Der Sohn nickt und sagt: »Vielleicht fühlte er sich tatsächlich wohler, wenn es jemanden gäbe, der sich mit ihm unterhielte.« Da hebt der traurige Konjunktiv den Kopf, schaut den Jungen an und lächelt dankbar.

»Eine hübsche Geschichte«, sagt mein Freund Henry, »aber mich stört das Happy End. Das ist mal wieder typisch für deine Gefühlsduselei, geht aber an den Realitäten völlig vorbei. Tatsache ist doch: Der Konjunktiv ist vom Aussterben bedroht. Er liegt quasi in den letzten Zügen. Wenn du beschrieben hättest, wie Vater und Sohn vor einem leeren Käfig stehen, weil der Konjunktiv vorige Woche gestorben ist, dann wäre die Geschichte glaubwürdiger.« Ich bin nicht immer Henrys Meinung, manches sieht er ein wenig zu drastisch, aber in einem Punkt hat er Recht: Der Konjunktiv macht keine großen Sprünge mehr.

Dabei kann man nun wirklich nicht behaupten, der Konjunktiv sei eine unbedeutende Randerscheinung in der deutschen Sprache. Die Grammatikwerke widmen ihm seitenlange Kapitel mit zahlreichen Unterkapiteln und weisen ihm nicht weniger als drei wichtige »Funktionsbereiche« zu, in denen er zum Einsatz kommt.

Da wäre zum einen der »Wunsch«-Bereich (»Er lebe hoch!«, »Mögest du hundert Jahre alt werden!«), zum zweiten der Bereich des Unmöglichen und des Unter-bestimmten-Bedingungen-doch-Möglichen, auch Irrealis genannt (»Ich an deiner Stelle hätte es anders gemacht«, »Wir wären schneller fertig, wenn du mal mit anfassen würdest!«), und zum dritten der Bereich der indirekten Rede.

Der Bereich »Wunsch«, der auch jede Form der Aufforderung mit einschließt, ist noch relativ überschaubar und verursacht nicht allzu große Probleme. Man braucht nur ein Kochbuch aufzuschlagen, schon steckt man mittendrin: »Man nehme drei Eier, schlage sie auf, trenne das Eiweiß vom Dotter und gebe das Eiweiß in einen sauberen, fettfreien Rührtopf.«

Der zweite Bereich hingegen ist alles andere als überschaubar. Dort hat man es zudem nicht nur mit einer Form des Konjunktivs zu tun, sondern gleich mit zweien. Man unterscheidet zwischen Konjunktiv I (er habe, sie sei, du werdest) und Konjunktiv II (er hätte, sie wäre, du würdest). Der Konjunktiv II ist immer dann gefragt, wenn es gilt, etwas Hypothetisches zum Ausdruck zu bringen (»Hätte ich deine Figur, könnte ich alles essen, was ich wollte!«), einen irrealen Vergleich anzustellen (»Sie tut ja gerade so, als ob sie schüchtern wäre!«) oder Zweifel anzumelden: »Zwar hieß es, die Polizei *hätte* jeden Winkel im Umkreis von zehn Kilometern abgesucht, aber die Angehörigen gaben sich damit nicht zufrieden und machten sich selbst auf die Suche.«

Eine nach wie vor wesentliche Rolle kommt dem Konjunktiv in der indirekten Rede zu. Tagtäglich sind im deutschsprachigen Raum ganze Heerscharen von Journalisten damit beschäftigt, die Worte von Politikern, Managern, Prominenten und Sachverständigen in indirekte Rede umzuschreiben, und dabei wird aus jedem Indikativ (»Ich bin überzeugt, dass wir dieses Spiel gewinnen werden!«) ein Konjunktiv (»Er sagte, er sei überzeugt, dass seine Mannschaft dieses Spiel gewinnen werde.«). Da die Arbeit von Journalisten zum überwiegenden Teil darin besteht, die Worte von anderen mit ihren eigenen wiederzugeben, wimmelt es in Nachrichtentexten von Konjunktiven. Ich bin fast sicher, wenn Sie eine Zeitung nähmen und diese ausschüttelten, so fielen mehr Konjunktive als Indikative heraus. Die Beherrschung des Konjunktivs ist daher eine wesentliche Voraussetzung für eine Laufbahn im Journalismus. Oder – konjunktivisch ausgedrückt – sie *sollte* es sein.

Henry überrascht mich gelegentlich mit ganz erstaunlichen Formulierungen. Da sitzen wir zusammen im Café und unterhalten uns über einen gemeinsamen Freund, und plötzlich sagt er: »Säßen wir jetzt nicht hier bei Kaffee und Kuchen, riefe ich ihn sofort an.« Zweimal Konjunktiv II in einem gesprochenen Satz! Mir fällt vor Begeisterung die Kuchengabel aus der Hand. »Du meinst, würden wir jetzt nicht hier sitzen, würdest du ihn sofort anrufen?«, frage ich nach. Henry sieht mich streng an: »Nein, ich meine *säßen* und *riefe*, du hast mich genau verstanden.« – »Spräche jeder so wie du, lieber Henry, schwämmen mir als Kolumnisten die Felle davon«, erwidere ich augenzwinkernd. »Schwämmen oder schwömmen?«, fragt Henry, und schon stecken wir mitten im Sumpf der unregelmäßigen Verben. »Büke der Bäcker sein Brot mit mehr Gefühl, verdürbe es nicht so schnell«, sagt Henry. »Spönnest du weniger, so stürbe ich nicht gleich vor Lachen!«, entgegne ich. »Hübe jeder seinen Müll auf, gewönne die Stadt an Lebenswert«, kontert Henry. »Gnade!«, rufe ich. »Das ist ja nicht mehr auszuhalten! *Hübe* heißt es ganz bestimmt nicht!« – »Das ist veraltet«, sagt Henry, »aber was alt ist, muss nicht gleich falsch sein. Kennte ich noch mehr alte Konjunktive, so würfe ich sie liebend gerne ins Gespräch ein!«

Einige dieser sonderbar klingenden Konjunktiv-II-Formen leiten sich von alten Imperfektformen ab, die heute völlig verschwunden sind. So sagte man früher »ich warf«, aber »wir wurfen«, und dazu wurde dann der Konjunktiv »würfe« gebildet. Von »heben« gab es einst die Imperfektform »huben«, was die Entstehung des Konjunktivs »hübe« erklärt. Dieser ist freilich lange aus der Mode, üblicherweise sagt man heute »höbe«. Einige Verben haben sich zwei mögliche Formen bewahrt, zum Beispiel »stehen« (stände oder stünde) und »schwimmen« (schwämme und schwömme); bei »stehen« ist die Form mit »ü« die gebräuchlichere, bei »schwimmen« ist es die Form mit »ö«.

Mein Freund Henry ist selbstverständlich eine Ausnahmeerscheinung. In der gesprochenen Sprache ist der Konjunktiv fast ausschließlich in der »würde«-Form zu finden: »Ich würde gerne am Freitag kommen« statt »Ich käme gerne am Freitag«. »Man erzählt sich, sie würde in einer Bar arbeiten« statt »Man erzählt sich, sie arbeite in einer Bar«. »Das würde ich dir übel nehmen« statt »Das nähme ich dir übel«.

Die Verwendung der »würde«-Form ist zwar weit verbreitet, gilt allerdings als umgangssprachlich. Bis auf einige Ausnahmen: Die von Henry so geschätzten veralteten Konjunktiv-II-Formen dürfen standardsprachlich durch eine Konstruktion aus »würde« und Infinitiv ersetzt werden. »Ich würde dir ja helfen, wenn du mich nur ließest« ist erlaubt, da kein Mensch mehr »Ich hülfe dir« sagte. Oder sagen würde. Da haben wir schon gleich die zweite Ausnahme: Wenn der Konjunktiv II mit der Form des Präteritums übereinstimmt (was häufig der Fall ist), ist die Umschreibung mit »würde« zulässig, allein schon, um Missverständnisse zu verhindern.

Denn Verständlichkeit ist stets die oberste Maxime, dem hat sich auch der Konjunktiv unterzuordnen. Ein Beispiel: »Da sie sich nie und nimmer für mich interessierte, spielt es keine Rolle, was ich denke.« Um klar zu machen, dass hier nicht die Vergangenheit gemeint ist, sondern eine unwahrscheinliche Möglichkeit, ist es angebracht, sich der Hilfskonstruktion mit »würde« zu bedienen: »Da sie sich nie und nimmer für mich interessieren würde, spielt es keine Rolle, was ich denke.«

»Nichts gegen Würde in der Sprache«, sagt Henry, »aber zu viel *würde* kann die Sprache verunstalten!« – »Würde man heute all diese Konjunktivformen in der gesprochenen Sprache gebrauchen, würde sich das doch recht seltsam anhören – altmodisch eben, verschroben.« – »Nein«, widerspricht Henry, »wenn alle den Konjunktiv gebrauchten, hörte es sich ganz normal an, weil sich unsere Ohren daran gewöhnten.«

Bei unserem nächsten Treffen gebe ich Henry die überarbeitete Geschichte vom Vater und Sohn im Sprachzoo zu lesen. Dort heißt es nun: »Wären Vater und Sohn an diesem Sonntag in den Sprachzoo gegangen, hätten sie sich sehr gewundert. Denn sie hätten den Käfig mit dem Konjunktiv leer vorgefunden. Besorgt hätten sie sich an den Wärter gewandt und ihn gefragt, ob der traurige Konjunktiv womöglich gestorben sei. Doch der Wärter hätte sie beruhigt. Er sei letzte Nacht ausgebrochen, hätte er ihnen berichtet, und laufe nun Amok durch die Stadt. Der Polizei gelinge es nicht, ihn einzufangen, wann immer sie sich ihm nähere, springe er auf und davon. Vater und Sohn hätten sich darüber sehr gefreut und gehofft, dass es ihm gelänge, neue Freunde zu finden, denn dann begönne für ihn ein völlig neues Leben.« – Henry blickt mich kopfschüttelnd an: »Du bist unverbesserlich! Und vollkommen *würde*-los!«

Papierhaft oder papieren?

Frage einer Leserin: In unserem Geschäft wird viel von *papierhaften Dokumenten* geredet und geschrieben. Ich möchte gerne wissen, ob es dieses Wort überhaupt gibt. Wenn es das nicht gibt, wie würde man den Unterschied zum elektronischen Dokument nennen?

Antwort des Zwiebelfischs: Das Wort »papierhaft« hört sich stark nach einer künstlichen Zusammensetzung an, die einem bürokratischen Hirn entsprungen ist. Die bei der Bildung von Adjektiven verwendete abstrakte Endsilbe »-haft« steht hinter abstrakten Begriffen, also Dingen, die man nicht sehen oder anfassen, wohl aber fühlen oder sich vorstellen kann:

beispielhaft, dauerhaft, ekelhaft, fabelhaft, geisterhaft, glaubhaft, krankhaft, lebhaft, massenhaft, rätselhaft, sagenhaft, schauderhaft, schemenhaft, schleierhaft, schmerzhaft, zauberhaft

Adjektive, die von konkreten Begriffen abgeleitet werden (und was könnte konkreter sein als Materialien?), haben hingegen auch eine sehr konkrete Endung, nämlich -en, -ern oder -n:

blechern, eisern, erzen, gläsern, golden, hölzern, irden, kupfern, ledern, papieren, samten, silbern, stählern, steinern, tönern, wächsern, wollen

Freilich gibt es Ausnahmen, aber die Produkte, die ein Papierwarengeschäft verkauft, sollten getrost papieren genannt werden: papierene Dokumente, papierene Formulare. Man kann es sogar noch kürzer sagen, nämlich in einem Wort: Papierdokumente, Papierformulare.

Es gibt noch ein weiteres Argument, das gegen »papierhaft« spricht: In der Endsilbe »-haft« klingt, ähnlich wie bei

»-artig«, ein vergleichendes »beschaffen wie« an. Etwas, das »sagenhaft« ist, ist »wie eine Sage«, und was »wie ein Schemen« aussieht, erscheint uns schemenhaft. Produkte, die laut Angaben des Herstellers »papierhaft« sind, wären dieser Logik zufolge nicht aus Papier, sondern nur wie Papier, in Wahrheit aber womöglich aus Kunststoff. Vielleicht sollte man die Artikel, die als »papierhaft« gehandelt werden, noch einmal sehr kritisch auf ihre Zusammensetzung prüfen.

Er steht davor, davor, davor – und nicht dahinter

Wann immer ein Minister in Bedrängnis gerät, liest man garantiert irgendwo den Satz: »Der Bundeskanzler stellte sich demonstrativ hinter seinen Minister.« Ein mutiger Schritt, soll man denken. Doch wäre es nicht viel mutiger gewesen, wenn der Kanzler sich *vor* seinen Minister gestellt hätte? Der Verdacht liegt nahe, dass die Positionen verwechselt wurden.

Als vor einiger Zeit Korruptionsvorwürfe gegen das Verkehrsministerium erhoben wurden, war in einer Radiomeldung zu hören, Bundeskanzler Gerhard Schröder habe sich »hinter seinen Verkehrsminister gestellt«. Der Minister war bestimmt sehr dankbar, dass der Kanzler ihn nicht »im Regen stehen lassen« wollte – doch war die Stellungnahme des Kanzlers wirklich hilfreich? Dort, wo sie erfolgte, also hinter dem Minister. In seinem Rücken.

Schon Rudolf Scharping hat erfahren müssen, was es bedeutet, wenn man mit dem Rücken zum Kanzler steht: »Die Bundesregierung wies die Rücktrittsforderung als unbegründet zurück. Bundeskanzler Gerhard Schröder stellte sich hinter seinen Minister und sagte, in Scharpings Äußerungen sei etwas › hineingeheimnist‹ worden, was nicht › hineinzugeheimnissen‹ sei«, stand 2001 im »Hamburger Abendblatt« zu lesen. Inzwischen ist Rudolf Scharping längst als Verteidigungsminister abgelöst worden. Der Schutz von hinten hat ihm nicht viel genützt.

Im Zuge der Karstadt-Krise war in der Presse Folgendes zu lesen: »Auch Vorstandschef Christoph Achenbach soll angeblich zur Disposition stehen. Aufsichtsratschef Thomas Middelhoff wies die Gerüchte umgehend zurück und stellte sich demonstrativ hinter Achenbach.« Damit keine Missverständnisse aufkommen: Weder Gerhard Schröder noch Thomas Middelhoff haben sich in den beschriebenen Fällen ungebührlich verhalten. Es wurde nur falsch darüber berichtet.

Stellen wir uns das doch mal bildlich vor: Bad Segeberg, 2005. Eine Farmerfamilie gerät in einen bösen Indianerhinterhalt. Winnetou und Old Shatterhand kommen den Farmern zu Hilfe und stellen sich demonstrativ hinter sie. Die Indianer lassen sich davon aber nicht beeindrucken und greifen mit lautem Geheul an. Die Farmerfamilie wird von Kugeln durchsiebt, und auf der Flucht ruft Old Shatterhand seinem Blutsbruder zu: »Das wäre um ein Haar ins Auge gegangen! Ein Glück, dass wir uns nicht *vor* die Leute gestellt haben!« Ist das etwa der Stoff, aus dem Heldenlegenden gemacht werden? Natürlich nicht. Wenn man eine Person, die angegriffen wird, schützen will, so stellt man sich vor sie. Worin bestünde sonst der Schutz?

Die »WAZ« schrieb in einem Bericht über das Auf und Ab in der Bezirksliga: »Trainer Thomas Strauch stellte sich hinter sein Team.« Da fragt man sich doch: Woher wusste die »WAZ« das? Sie konnte den Trainer doch unmöglich selbst gesehen haben! Wenn er sich wirklich *hinter* sein Team gestellt hatte, dann war er doch von mindestens elf Männern verdeckt!

Natürlich gibt es die Redewendung »sich hinter jemanden stellen«. Sie ist immer dann richtig am Platz, wenn es um die Beschreibung moralischer Unterstützung geht; meistens wird sie von dem Wort »demonstrativ« begleitet. Man kann außerdem »jemandem Rückendeckung geben«, »jemandem den Rücken freihalten« und »jemandem den Rücken/das Rückgrat stärken«. Ferner kann man jemandem »zur Seite springen«, ihm »zur Seite stehen«, und man kann auch »voll und ganz hinter jemandem stehen«, doch all diese Wendungen haben weniger mit Schutz zu tun als mit Unterstützung. Grundsätzlich wird erwartet, dass ein Parteichef sich *vor* seine Fraktionsmitglieder stellt, wenn diese unter Beschuss geraten, genauso wie ein Vorgesetzter sich *vor* seine in Bedrängnis geratenen Angestellten zu stellen hat.

Wer sich vor jemanden stellt, der ist bereit, die Gefahr auf sich zu nehmen, den Angriff abzuwehren, die feindlichen Kugeln mit der eigenen (natürlich kugelsicheren) Weste abzufangen. Gerhard Schröder konnte sich ganz gelassen vor seinen Minister stellen, er ging dabei kein Risiko ein; denn erfahrungsgemäß prallen Korruptionsvorwürfe an Bundeskanzlern ab. Es gab also keinen Grund, Schröder nachträglich *hinter* den Minister zu stellen.

Als der bayerische Ministerpräsident Stoiber bei einer Kundgebung in Berlin mit Eiern beworfen wurde, da hat sich der Berliner Spitzenkandidat der CDU, Frank Steffel, sowohl schützend als auch demonstrativ *hinter* ihn gestellt. Geschützt hat Steffel sich selbst, instinktiv war er hinter Stoiber in Deckung gegangen, um nicht selbst von den Eiern getroffen zu werden. Und demonstriert hat er damit, dass es ihm an Courage fehlt, wie man sie von einem Mann erwartet, der nach Höherem strebt. Deshalb verlief seine politische Karriere danach alsbald im Sande.

Die Wahl des Stellplatzes will wohl überlegt sein. »Er steht im Tor«-Sängerin Wencke Myhre wusste, wo ihr Platz war: dahinter*. »Ich schütze meinen Minister«-Kanzler Gerhard Schröder weiß, wo sein Platz ist: davor. Und wer darüber berichtet, der gebe Acht, dass er die Positionen nicht verwechsle.

* und zwar Frühling, Sommer, Herbst und Winter.

Warum ist der Rhein männlich und die Elbe weiblich?

Frage eines Lesers: Unlängst entbrannte in meinem Freundeskreis eine Diskussion über die Geschlechtlichkeit von Flüssen, und ich bügelte etwas vorschnell die Teilnehmer mit profundem Halbwissen ab: Große Flüsse seien männlich (der Rhein, der Main, der Mississippi), kleine Flüsse weiblich (die Lahn, die Ruhr, die Mosel).

Vorschnell, wie gesagt, denn alsbald war man bei der Hand mit Donau und Elbe, die nicht gerade als klein bezeichnet werden können, wohl aber weiblichen Geschlechts sind.

Mit den amerikanischen Flüssen hat man es leichter, denn sie sind meistens mit dem männlichen Zusatz Rio oder River versehen, sodass sich die Frage nach dem Geschlecht gar nicht erst stellt. Bei den Franzosen hingegen scheinen alle Flüsse weiblich zu sein: die Seine, die Loire, die Garonne, die Marne, die Rhone. Wie hält es denn nun der Deutsche?

Antwort des Zwiebelfischs: Das Geschlecht von Flüssen lässt sich leider nicht nach Regeln bestimmen. Jeder Flussname hat seine eigene Geschichte, und deren Ursprung liegt meistens im Nebel frühester Zeiten verborgen und ist oft nur mühsam zu rekonstruieren. Unsere deutschen Flüsse haben ihre Namen von den Germanen, den Slawen und den Römern erhalten. Manche Namen sind auch keltischen oder griechischen Ursprungs. Eines haben sie (fast) alle gemein: Ob sie nun Alster, Aller, Iller, Inn, Werra, Naab, Main oder Leine heißen – der Name geht meistens auf ein altes Wort für Fluss, Sumpf, Bach oder Au zurück.

So geht der Rhein auf das altgermanische Wort *reinos* zurück, welches »großer Fluss« bedeutet. Die Endung *-os* zeigt an, dass der Fluss schon bei den alten Germanen männlichen Geschlechts war. Die Elbe hat ihren Ursprung im lateinischen Wort *albia*, das weiblich ist und für »helles Wasser« steht. Die Donau ist sprachlich verwandt mit dem russischen Don, beide Namen gehen auf das indogermanische Wort *danu* zurück, das ebenfalls nichts anderes als »Fluss« bedeutet. Bei den Römern war die Donau noch männlich (Danuvius), bei den Germanen wurde sie durch Verschmelzung mit der Endung *-owe, -ouwe* (Aue, Fluss) weiblich. Maas und Mosel waren bereits im Lateinischen weiblich (Mosa und Mosella) und blieben es auch im Deutschen. Der Neckar wurde vermutlich aufgrund seines stürmischen Laufs als männlich empfunden, der Name geht zurück auf das ureuropäische Wort *nik*, das »losstürmen« bedeutet. Jedenfalls hatte man ihm bereits in vorchristlichen Zeiten die männliche Endsilbe *-ros* verpasst: Nikros wurde über Nicarus und Neccarus zu Necker und schließlich Neckar.

Die französischen Flüsse sind übrigens keineswegs alle weiblich, weder im Deutschen noch im Französischen. Die Rhone zum Beispiel heißt auf Französisch »le Rhône«. Und unser »Vater Rhein«, der ja streckenweise auch ein französischer Fluss ist, ist auch im Französischen männlichen Geschlechts: le Rhin.

Wer auf einen ihm unbekannten deutschen Flussnamen stößt und folglich nicht weiß, ob es sich um einen männlichen oder weiblichen Namen handelt, der wird sich vermutlich für den weiblichen Artikel entscheiden. Die Wahrscheinlichkeit ist groß, dass er damit richtig liegt. Denn es gibt erheblich mehr weibliche als männliche Flüsse in Deutschland. Von 72 deutschen Flüssen mit einer Länge von mehr als hundert Kilometern sind lediglich acht männlich, nämlich der Rhein, der Main, der Inn, der Neckar, der Lech, der Kocher, der Regen und der Rhin.

Falsche Freunde

Hollywood-Stars, die Ungeheuer erschaffen, explodierende Boiler, die zu Schiffskatastrophen führen, schwerer Drogenmissbrauch in einem US-Krankenhaus und wie Bernadette Chirac Hillary Clinton beleidigte. Ohne die täglichen Übersetzungsfehler wäre unser Leben nur halb so aufregend.

Da heutzutage die meisten Nachrichten von internationaler Relevanz aus englischsprachigen Quellen stammen, besteht die Arbeit von deutschen Journalisten zu einem großen Teil aus Übersetzen. Vielen fällt es dabei schwer, sich von der englischen Vorlage zu lösen, sie kleben am Originaltext und übersetzen Wort für Wort, ohne sich zu fragen, ob man das im Deutschen so überhaupt sagen kann. So kommt es bisweilen zu kuriosen Missverständnissen und äußerst eigenwilligen Wortschöpfungen.

Seit den schrecklichen Geschehnissen des 11. Septembers 2001 hat bei uns ein Wort eine unbeschreibliche Renaissance erlebt, das bis dato als altmodisch galt und in der Mottenkiste der Militärsprache vor sich hin staubte: die Attacke. Früher nahm dabei vor unserem geistigen Auge allenfalls ein Offizier in einer bunten Uniform mit Helm und Federbusch Gestalt an, der mit blank gezogenem Säbel den Angriff befiehlt, seinem Pferd die Sporen gibt und wie ein Wahnsinniger drauflosreitet. Eine Szene, wie man sie in Dutzenden von Historienfilmen gesehen hat. Attacken wurden gern geritten, und zusammen mit der Kavallerie ist auch das Wort aus der Mode gekommen. Jedenfalls im Deutschen. Im Englischen hat das Wort »attack« nichts Altmodisches, es ist die übliche Vokabel für Angriff, Anschlag, Anfall, Überfall, Beschuss und für scharfe Kritik. So sprach man in den englischsprachigen Medien nach dem 11. September ganz selbstverständlich von »terror attack«. Offenbar aber war die deutschsprachige Presse von den Anschlägen derart überwältigt, dass sie das Übersetzen vergaß. Möglicherweise wurde dieser Umstand durch die Tatsache begünstigt, dass einer der Flugzeugentführer Mohammed Atta hieß. Jedenfalls ist seit diesem Tag das Wort »Terror-Attacken« in aller Munde, und auch die Zahl der »Herzattacken« hat wieder zugenommen (während die der Herzinfarkte deutlich zurückging).

Erinnern Sie sich noch an den schlimmen Unfall des Magiers Roy Horn, der im Oktober 2003 auf der Bühne von einem weißen Tiger angefallen und schwer verletzt wurde? Prompt war natürlich in deutschen Zeitungen von einer »Tiger-Attacke« die Rede. Aber das Empörendste an der Geschichte: Die Ärzte versetzten den armen Roy mit Drogen in ein künstliches Koma. So konnte man es lesen. Und man wunderte sich: In den USA ist nicht mal Haschisch legal, und Roy wird mit Drogen voll gepumpt? Geht das mit rechten Dingen zu? Das englische Wort »drugs« steht in erster Linie für Medikamente. Die engere Bedeutung »Drogen«, »Rauschmittel« gibt es im Englischen zwar auch, doch die war sicherlich nicht gemeint, als die Ärzte um das Leben des Las-Vegas-Stars kämpften.

Übersetzungsfaulheit ist eines der gravierendsten Stilprobleme unserer Zeit. Nicht immer ist der Fehler so klar erkennbar wie im Falle von »silicon«, das oft fälschlich mit Silikon übersetzt wird: »Sieben Jahre nach dem Boom der pflegebedürftigen Kleincomputer kommt nun eine zweite Generation der Silikonküken auf den Markt«, hieß es in einem Bericht über die aus Japan importierte Landplage namens Tamagotchi. Silikon ist ein Stoff, mit dem normalerweise Badewannen abgedichtet und Frauenbrüste auf ein augenfälliges Format gebracht werden. Die kleinen Tamagotchi-Nachkommen sind aber nicht aus Silikon, sondern aus Silizium.

Erstaunlich unsensibel reagieren viele Menschen auch im Umgang mit dem englischen Wort »sensitive« (= sensibel, feinfühlig, empfindlich). Da erregt sich zum Beispiel ein Energie-Experte der SPD über den geplanten Export der Hanauer Atomfabrik nach China mit den Worten: »Wenn es überhaupt je einen Grund gibt, einen Export zu untersagen, dann bei sensitiver Atomtechnologie.« Das Wort »sensitiv« gibt es im Deutschen zwar auch, doch hat es die Bedeutung »leicht reizbar« und wird hauptsächlich von Nervenärzten verwendet. Was der Energie-Experte tatsächlich meinte, war »sensible Atomtechnik«.

In einem Bericht, in dem es um die Fettleibigkeit der Amerikaner ging, war zu lesen: »Allzu große Anstrengungen will der Minister seinem Volk nicht zumuten. Es sei nicht nötig, Marathon zu laufen oder einem Gesundheitsclub beizutreten.« Die Augen sind schon längst im nächsten Absatz, da kreiselt das Wort »Gesundheitsclub« noch immer im Kopf herum und verursacht ein befremdliches Geräusch. Bis es plötzlich »Klack!« macht und man erkennt: Im Originaltext war offenbar von einem »health club« die Rede, und das ist nichts anderes als ein ganz gewöhnliches Fitness-Studio! »Gesundheitsclub« ist fraglos eine irreführende Übersetzung.

Im Fachjargon spricht man von »falschen Freunden«, wenn ein wörtlich übersetzter Begriff scheinbar passt (so wie silicon/Silikon), in Wahrheit aber etwas ganz anderes bedeutet und somit also das Ziel verfehlt. Eines der bekanntesten Beispiele hierfür ist die englische »billion«, die von deutschen Journalisten regelmäßig mit »einer Billion« wiedergegeben wird, wodurch der amerikanische Haushalt jedes Mal zu immenser Größe aufgebläht wird, neben der selbst Dagobert Duck arm aussieht. Die englische »billion« entspricht im Deutschen tatsächlich aber nicht mehr als einer Milliarde.

»Solana drückte seine tiefe Sympathie für diejenigen aus, die bereits Zielscheibe von Angriffen geworden waren«, war im Zusammenhang mit einer Serie von Briefbombenanschlägen zu lesen. Immerhin hatte der Übersetzer auf den Begriff »Briefbombenattacken« verzichtet, wofür man heutzutage ja schon dankbar sein muss. Aber drückt man auf Deutsch den Opfern seine Sympathie aus? Ist es nicht eher Mitgefühl, Beileid oder Bedauern? Schlag nach bei Shakespeare oder wenigstens bei Leo, und siehe da: Das englische Wort »sympathy« bedeutet neben Zuneigung und Wohlwollen auch Mitleid, Mitgefühl und Anteilnahme. Es kommt eben auf den Zusammenhang an, und über den sollte sich jeder im Klaren sein, ehe er sich ans Übersetzen macht.

Ein falscher Freund versteckt sich auch in diesem Beispiel: »Das schwerste Unglück in der Geschichte des New Yorker Fährbetriebs ereignete sich 1871, als auf einem Schiff ein Boiler explodierte. Damals wurden mehr als 125 Menschen getötet.« Natürlich ist damals nicht ein Heißwasserspeicher explodiert, wie er üblicherweise in Badezimmern hängt, sondern ein Dampfkessel. Im Englischen heißt Boiler nämlich auch das, im Deutschen nicht.

Etwas anderes muss dem Hollywood-Star Ben Affleck explodiert sein, denn laut eines Klatschspalten-Berichts soll er das Scheitern seiner Beziehung mit Jennifer Lopez mit folgenden Worten erklärt haben: »Wir haben ein Monster kreiert!« Haben die beiden also doch noch Nachwuchs bekommen? Oder sich erfolgreich als Nachfolger Dr. Frankensteins versucht? Im Originallaut hat Ben Affleck tatsächlich gesagt: »We created a monster«, aber das bedeutet im Deutschen nichts anderes als »Die Sache ist uns aus dem Ruder gelaufen« oder »Wir haben die Kontrolle verloren«. Der Ausdruck »ein Monster kreieren« ist im Deutschen keine Redewendung, die als Metapher funktioniert. Folglich muss man sich vom englischen Wortlaut lösen und abstrahieren, denn nicht die Wörter wollen übersetzt sein, sondern ihre Bedeutung.

Wie grandios man danebenliegen kann, wenn man es mit der wörtlichen Treue zu genau nimmt, zeigt das letzte Beispiel: Nach einer Begegnung mit Hillary Clinton soll Bernadette Chirac, die Frau des französischen Staatspräsidenten, anerkennend gesagt haben: »Sie ist eine Professionelle. Aber sie kann auch sehr charmant sein.« Wir dürfen davon ausgehen, dass Bernadette Chirac ihre Worte in Wahrheit klüger gewählt hat und dass hier nichts anderes als ein weiterer Übersetzungsfehler vorliegt: »She's a professional«, so stand es in der englischsprachigen Quelle – was auf Deutsch natürlich bedeutet: »Sie ist professionell« oder auch »Sie ist ein Vollprofi«. Aber zu schreiben, sie sei eine Professionelle, machte aus der New Yorker Senatorin eine Dame des horizontalen Gewerbes, und bei aller Reserviertheit der Franzosen gegenüber den Amerikanern: So weit würde Madame Chirac denn doch nicht gehen.

In diesem Sinne: See you, take care! Sieh dich, nimm Sorge!

Wo beginnt der Mittlere Osten?

Frage eines Lesers: Im Zusammenhang mit dem Irakkrieg war häufig vom »Mittleren Osten« die Rede. Ist das richtig? Gehört der Irak bereits zum Mittleren Osten? Manche Kommentatoren scheinen sogar Syrien und Jordanien dazuzurechnen. Die zählen meines Wissens aber zum Nahen Osten. Offenbar gibt es verschiedene Auffassungen darüber, wo Nah-, Mittel- und Fernost beginnen. Welche Länder gehören zum sogenannten Mittleren Osten?

Antwort des Zwiebelfischs: Dass Länder wie Syrien, Jordanien und selbst Israel gelegentlich dem Mittleren Osten zugeschlagen werden, haben wir einem weiteren »falschen Freund« zu verdanken. Wenn die Briten vom »Middle East« sprechen, meinen sie damit nämlich das, was wir im Deutschen unter dem »Nahen Osten« verstehen. Da für die Briten der Osten schon mit den Niederlanden beginnt, definieren sie den arabischen Raum bereits als »Middle East«. Syrien, Libanon, Israel und Palästina werden in der englischen Sprache also dem »Middle East« zugerechnet, aus unserer Sicht jedoch zählen sie zum Nahen Osten.

Der »Mittlere Osten« beginnt nach deutscher Definition weiter östlich. Allerdings ist er nicht eindeutig definiert. Im Allgemeinen werden darunter die Länder Vorderindiens verstanden (Indien, Pakistan, Bangladesch, Sri Lanka, Nepal, Bhutan) sowie Afghanistan und Iran. Mitunter wird auch Birma (das heutige Myanmar) dazugerechnet.

Zum Nahen Osten zählen die Länder des ehemaligen Osmanischen Reiches: Syrien, Libanon, Israel, Palästina, Jordanien, Saudi-Arabien, Bahrain, Kuwait, Oman, Katar, Vereinigte Arabische Emirate, Jemen und Irak. Auch Ägypten wird zum Nahen Osten gezählt, obwohl es auf dem afrikanischen Kontinent liegt. Die Türkei hingegen, obwohl Herz-stück des Osmanischen Reiches und das Tor zum Orient, wird nur im historischen Kontext dem Nahen Osten zuge-rechnet.

Der Irakkrieg fand also nur aus angelsächsischer Sicht in »Middle East« statt, nach unserem Verständnis war es ein Krieg im Nahen Osten.

(K)ein Name für diese Dekade

Es muss sich doch jeder schon einmal gefragt haben, in welchem Jahrzehnt wir eigentlich leben. Ich bin ein Kind der Sechziger und der Siebziger, inzwischen sind die achtziger und auch die neunziger Jahre vorbei. Doch was kommt danach? Was ist jetzt? Wie nennt man die Dekade, in der wir leben?

Am 1. Januar 2001 (sic!) begann nicht nur ein neues Jahrhundert, sondern sogar ein neues Jahrtausend – das bereits 366 Tage zuvor überall auf der Welt mit großen Feierlichkeiten begrüßt worden war. Davon abgesehen begann am 1. Januar 2001 aber auch ein neues Jahrzehnt. Und eine Frage, die viele Menschen beschäftigt, lautet: Wie nennt man dieses Jahrzehnt?

Vor hundert Jahren muss diese Frage schon einmal die Gemüter der Sprachinteressierten bewegt haben. Schließlich befand man sich – kalendarisch – 1905 in einer ähnlichen Situation. Ein Name und somit eine Lösung des Problems wurden aber offensichtlich nicht gefunden. Auch das zweite Jahrzehnt des 20. Jahrhunderts blieb namenlos. Den Ausdruck »Zehnerjahre« gab es wohl, aber er wurde nur selten gebraucht und hat sich historisch nicht durchgesetzt. Und erst recht gab es keine »Nulljahre« oder »Nullerjahre« als Bezeichnung für das erste Jahrzehnt. Wer 1905 geboren war, der war »Jahrgang 05«, aber er bezeichnete sich nicht als »in den Nullern geboren«. Erst das dritte Jahrzehnt hat einen Namen bekommen, der dann – im Nachhinein – sogar vergoldet wurde: die (Goldenen) Zwanziger. Von da an ging es in Zehnerschritten weiter. Im Nachhinein wurden die Jahre von 1901 bis 1918 der Wilhelminischen Ära zugeschlagen, welche bekanntlich mit der Niederlage im Ersten Weltkrieg endete. Da dieser Krieg einen viel größeren Einschnitt markierte als der Wechsel von einem Jahrzehnt zum anderen, stellte sich die Frage nach einer numerischen Benennung der ersten beiden Jahrzehnte später nicht mehr.

Ob dies in unserem Fall einmal genauso sein wird? Darüber wird die Geschichte entscheiden. Allerdings: Das erste Jahrzehnt des 21. Jahrhunderts ist schon zur Hälfte abgelaufen. Noch retten sich die Radiosender mit der Formulierung »Die Megahits der Achtziger, der Neunziger und das Beste von heute!« Und das Fernsehen hat nach den Siebziger-, den Achtziger- und den Neunziger-Kultshows erst mal eine Pause eingelegt. Irgendwann aber werden wir das Jahr 2011 schreiben, und irgendeinem Fernsehintendanten wird einfallen, dass das zurückliegende Jahrzehnt eine eigene Retrospektive verdient. Spätestens dann braucht das Kind einen Namen. Vielleicht wird er sie »die Zweitausender-Show« nennen – oder »Die Kulthits des Jahrtausends«. In diesem Zusammenhang fällt mir auf, dass das Wort »Millennium«, das einem 1999 mindestens fünfmal täglich in die Augen sprang, heute überhaupt nicht mehr verwendet wird. Der beste Beweis dafür, dass nur das überlebt, was wirklich gebraucht wird. Und vielleicht brauchen wir tatsächlich auch keine Bezeichnung für dieses erste Jahrzehnt. Womöglich werden die Deutschen auch in diesem Jahrhundert erst wieder ab der dritten Dekade anfangen, Zahlen zu vergeben. Vielleicht hängt es auch damit zusammen, dass sich 20 Jahre gerade noch überblicken lassen. Das entspricht einer Generation. Erst darüber hinaus wird's dann langsam unübersichtlich, sodass man auf Zahlwörter zur Unterteilung und Abgrenzung zurückgreift.

Was für das Jahrhundert gilt, scheint auch für die Lebensalter des Menschen zu gelten. Man kennt Männer in den Fünfzigern, Frauen in den Vierzigern, man spricht von Mittdreißigern und Endzwanzigern – aber darunter wird es schwierig. Da muss man sich schon mit englischen oder pseudo-englischen Begriffen wie Teenager und Twen behelfen. Für das erste Lebensjahrzehnt eines Menschen aber hilft uns auch das Englische nicht weiter. Was wohl damit zusammenhängt, dass die Unterschiede zwischen einem einjährigen, einem sechsjährigen und einem zehnjährigen Kind einfach zu groß und somit diese Altersklassen für eine Zusammenfassung nicht geeignet sind. Stattdessen spricht man von Kindheit und Jugend, von Kindern im Vorschulalter und von solchen im schulpflichtigen Alter, von der Zeit vor der Pubertät, während der Pubertät und nach der Pubertät.

Ich wollte es natürlich genau wissen und habe die Leser meiner Internet-Kolumne gefragt, wie sie die erste Dekade dieses Jahrhunderts nennen würden. Ich erhielt Dutzende von Zuschriften, die an Einfallsreichtum und Originalität nichts vermissen ließen: Nuller, Nullinge, Postneunziger, Neutausender, Vorzehner, Nachneunziger, Hunderter, Primdeka, Dekade eins, Zeroden, Millies, Pomilde (für »Post-Millenniums-Dekade«), Edeka und Zwedeka (für Erste und Zweite Dekade) und viele Vorschläge mehr.

Bezeichnenderweise gibt es auch in anderen Sprachen keinen Begriff für das erste Jahrzehnt. Wir stehen mit dem Problem also nicht allein da. Die englische Umgangssprache, für ihren Erfindungsreichtum bekannt, hat den Ausdruck »the naughties« (auch: noughties) geprägt. Ein Zusammenspiel aus den Wörtern »nought«, »naught« (= nichts, Null) und »naughty« (= ungezogen, unanständig), das sinngemäß also »die Nuller« und zugleich »die unartigen Jahre« bedeutet. Angesichts unserer Empfänglichkeit für englische Modewörter haben die »Naughties« möglicherweise auch im Deutschen eine Chance. Vielleicht aber findet sich irgendwann doch noch ein passendes deutsches Wort.

Ein Radiosender hat sich in weiser Voraussicht den Begriff »Nullziger« schützen lassen. In der entsprechenden Titelschutzerklärung eines Hamburger Anwalts heißt es: »Unter Hinweis auf § 5 Abs. 3 MarkenG nehmen wir für eine Mandantin Titelschutz in Anspruch für ›Nullziger‹, ›Die Megahits der 90er, Nullziger und das Beste von heute‹ sowie für ›Die Megahits der 80er, 90er, Nullziger und das Beste von heute‹ in allen Schreibweisen, Wortverbindungen und Darstellungsformen für Ton- und Fernsehrundfunk, alle sonstigen elektronischen Medien und Netzwerke, Bild-, Ton- und Datenträger, Spielfilmproduktionen und Druck-Erzeugnisse.«

Also dann, liebe Freunde der Popmusik: Willkommen in den Nullzigern!

Warum heißt der Samstag auch Sonnabend?

Frage einer Leserin aus Schweden: Ich unterrichte Deutsch an einer Schule, und kürzlich nahmen wir die Wochentage durch. Eine Schülerin fragte mich, warum es im Deutschen zwei Namen für den sechsten Tag gibt. Ich konnte es ihr leider nicht erklären. Können Sie mir sagen, warum der Samstag auch Sonnabend heißt und ob das überall in Deutschland so ist oder nur in bestimmten Gegenden?

Antwort des Zwiebelfischs: Die deutsche Sprache schafft es in der Tat immer wieder, Ausländer zu verblüffen. Neben vielen anderen Marotten leistet sie sich den Luxus, für einen Wochentag zwei unterschiedliche Namen zu führen. Dass der Samstag bei uns auch Sonnabend heißen kann, ist zugegebenermaßen verwirrend. Wer das als Ausländer nicht weiß, könnte womöglich denken, es handele sich um zwei verschiedene Tage, und kommt zu dem Schluss, dass bei den Deutschen die Woche einen Tag länger dauert.

So viel vorweg: Samstag ist die offizielle Bezeichnung, die auch am weitesten verbreitet ist. Der Name Sonnabend ist vor allem in Norddeutschland gebräuchlich.

Samstag ist der ältere Name. Er leitet sich vom griechischen Wort *sabbaton* ab, das wiederum auf das hebräische Wort »Sabbat« zurückgeht. Der *sabbaton* wurde über *sambaton* zu *sambaztac* (altdeutsch), später dann zu *sameztac* (mittelhochdeutsch) und schließlich zu Samstag.

Beim Wort »Sonnabend« handelt es sich um einen Anglizismus! Um einen sehr, sehr alten Anglizismus. Den »Sonnabend« verdanken wir nämlich einem englischen Missionar namens Bonifatius, der von 672 bis 754 gelebt hat und der, statt auf seiner Insel zu bleiben, aufs Festland übersetzte, um die Germanen in Friesland, Hessen, Thüringen und Bayern zum Christentum zu bekehren. Er brachte das altenglische Wort *sunnanaefen* mit, das anfangs den Abend, bald aber schon den ganzen Tag vor dem *sunnandaeg* (Sonntag) bezeichnete. Möglicherweise hatten Bonifatius oder seine Nachfolger die gezielte Absicht, den jüdischen Sabbat aus dem Wochenkalender zu streichen und durch ein »christliches« Wort zu ersetzen. Jedenfalls fand der »Sonnabend« Verbreitung, und zwar hauptsächlich im norddeutschen und im mitteldeutschen Raum, wo er auch heute noch anzutreffen ist. Ironischerweise hat sich in Bonifatius' englischer Heimat ein »heidnischer« Name für den Samstag gehalten: Der *Tag des Saturn*, lateinisch *saturni dies*, wurde im Englischen zu Saturday. Die Westfriesen wollten sich nicht bekehren lassen und erschlugen Bonifatius unweit von Dokkum. Den »Sonnabend« haben sie folglich auch nicht übernommen, und so heißt es in den Niederlanden auch heute noch *zaterdag*.

Wir Deutschen aber haben dank des englischen Missionars die Wahl zwischen Samstag und Sonnabend, wobei der Samstag zwei unbestreitbare Vorzüge besitzt: Er ist kürzer – und bleibt auch in noch kürzerer Form, nämlich als Abkürzung, unverwechselbar: Mo, Di, Mi, Do, Fr, Sa, So.

Ex und hopp

Eines haben Ex-Präsidenten, Ex-Bundeskanzler und Ex-Vorstands-vorsitzende mit Ex-Ehemännern gemeinsam: Sie machen dem Ex-Volk, der Ex-Belegschaft und den Ex-Ehefrauen nachhaltig zu schaffen. Jedenfalls in sprachlicher Hinsicht.

Es gibt einen amerikanischen Schlager, der heißt »All my ex's live in Texas«, auf Deutsch so viel wie: »Alle meine Verflossenen leben in Texas«. Warum ausgerechnet in Texas, das weiß allein der Songschreiber George Strait, vermutlich aber spielt der hübsche Reim dabei eine nicht unwesentliche Rolle.

Wenn George W. Bush irgendwann nicht mehr Präsident der Vereinigten Staaten von Amerika sein wird, dann wird ein weiterer Ex in Texas leben. Ob er die Welt dann allerdings wirklich in Ruhe lässt, ist noch fraglich. Manche Schwierigkeiten fangen nämlich erst an, wenn alles andere überstanden ist, und dazu gehören die Schwierigkeiten mit dem Ex.

In einem rückblickenden Bericht über die Amtszeit Johannes Raus war ein Bild zu sehen, das das Ehepaar Rau in Tansania zeigte. Darunter stand: »Ex-Bundespräsident Johannes Rau und Ehefrau Christina in Tansania«. Zwar stimmt es, dass Johannes Rau mittlerweile nicht mehr Bundespräsident ist. Aber als er im März 2004 mit seiner Frau nach Tansania flog, da war er es noch. Das Bild zeigt also nicht den Ex-Bundespräsidenten, sondern den damaligen Bundespräsidenten. Das ist ein kleiner, aber feiner Unterschied.

Ein anderer Artikel beschäftigte sich mit der Vorliebe einiger Politiker für medienwirksame Inszenierungen und nannte als Beispiel »die öffentliche Scheidung von Kanzler Schröder und seiner Ex-Frau Hillu, die der Ministerpräsident von Niedersachsen damals ganz offen auf der Seite eins der ›Bild‹-Zeitung zelebrierte«.

Zwar ahnt man, was gemeint war, doch kann die Ahnung nicht darüber hinwegtäuschen, dass dieses Beispiel drei Fehler enthält. Fehler Nummer eins: Einen Kanzler Schröder, der eine öffentliche Scheidung zelebriert haben soll, gibt es nicht. Sehr wohl einen Gerhard Schröder, aber seit dieser Gerhard Kanzler ist, hat er nichts unternommen, was nach Zelebrierung einer öffentlichen Scheidung aussah.

Fehler Nummer zwei: Gerhard Schröder hat natürlich nicht versucht, sich von seiner Ex-Frau Hillu scheiden zu lassen. Das wäre auch äußerst töricht gewesen, zumal eine Scheidung pro Ehe nach deutschem Recht völlig ausreichend ist.

Fehler Nummer drei: Nicht *der* Ministerpräsident von Niedersachsen hat *damals* etwas gemacht, sondern der *damalige* Ministerpräsident von Niedersachsen hat etwas gemacht.

Nach Berichtigung der falschen Tatsachenbehauptungen liest sich das Beispiel nunmehr so: »die öffentliche Scheidung von Gerhard Schröder und seiner Frau Hillu, die der damalige Ministerpräsident von Niedersachsen ganz offen auf der Seite eins der ›Bild‹-Zeitung zelebrierte«.

Wann immer irgendwo auf der Welt ein Regime kollabiert, wird es besonders gefährlich. Dann laufen plötzlich jede Menge Ex herum, die von den neuen Machthabern gejagt werden. Wenn einer gefasst wird, so ist die Gefahr groß, dass man Sätze wie diesen liest: »Mahmud war Sicherheitsberater und ranghöchster Leibwächter des Ex-Präsidenten.« Haben Ex-Präsidenten Sicherheitsberater? Eigentlich brauchen sie diese doch vor allem, solange sie noch Präsidenten sind. Gemeint ist natürlich: »Mahmud war Sicherheitsberater und ranghöchster Leibwächter des (damaligen) Präsidenten.« Den Zusatz »damaligen« kann man in diesem Fall sogar weglassen, denn dass der Präsident inzwischen selbst nicht mehr Präsident ist, spielt für Mahmuds einstige Tätigkeit als Sicherheitsberater eigentlich keine Rolle.

Richtig knifflig wird es, wenn es zum Beispiel um den Sänger Thomas Anders und sein Tun und Nicht-lassen-Können während der neunziger Jahre geht. Damals gab es Modern Talking nicht mehr, also könnte man ihn als Ex-Modern-Talking-Sänger bezeichnen. Aber 1998 hatte das Duo ein Comeback. Das hat glücklicherweise nicht lange gewährt, trotzdem bleibt die Frage, ob man Thomas Anders (»Der Mann, der Nora war«) in der Zeit zwischen MT1 und MT2 tatsächlich als »Ex-Modern-Talking-Sänger« bezeichnen kann. (Ich weiß, viele werden sich an dieser Stelle fragen, ob man Thomas Anders überhaupt als Sänger bezeichnen kann, aber das gehört nicht hierher ...) Es ist indes nicht nötig, Thomas Anders heute als Ex-Ex-Modern-Talking-Sänger zu bezeichnen. Selbst wenn man dasselbe Amt zweimal bekleidet oder dieselbe Karriere ein zweites Mal versucht hat, bleibt man am Ende doch nur einmal Ex.

Nicht nur Regime und Musikgruppen können untergehen, sondern auch ganze Staaten. Ein berühmtes Beispiel finden wir auf unserem eigenen Territorium: Dort ging zuletzt ein Staat namens DDR unter. Seitdem wird viel von der ehemaligen DDR gesprochen, wie auch von der ehemaligen Sowjetunion und überhaupt dem ehemaligen Ostblock. Doch auch hier ist Vorsicht geboten: Eine Aussage wie »In der ehemaligen DDR gab es keine Freiheit« ist unsinnig, denn »ehemalig« wurde die DDR erst durch ihre Auflösung. Es muss heißen »In der DDR gab es keine Freiheit«. Wer von der »ehemaligen DDR« spricht, meint damit das heutige Gebiet, das einst die DDR gewesen ist, und auf diesem ist das Nichtvorhandensein von Freiheit längst kein Thema mehr.

Ständig liest man von Sportlern, die »für die ehemalige DDR« oder »für die ehemalige Sowjetunion« an den Start gegangen sind. Demzufolge müsste der europäische Sportkader von Revanchisten und hoffnungslosen Ostalgikern durchsetzt sein.

Mitunter geschieht es, dass im Übereifer der Aspekt des Ehemaligen verdoppelt wird, was aber nicht unbedingt zu klareren Verhältnissen führt: Ist mit »mein damaliger Ex« der damalige Freund oder Mann gemeint, oder gab es bereits damals einen Ex, der inzwischen durch einen aktuellen Ex ersetzt wurde? Es scheint, dass hier das »Ex« bis zum »Ex-Zess« betrieben wird.

Für die Vorsilbe »Alt« gilt übrigens dasselbe wie für »Ex«: Ob Altkanzler oder Altbundespräsident, wenn es heute um ihre Amtszeit geht, so muss es heißen »der damalige«.

Falsch: »Dies hatte der Altkanzler noch während seiner letzten Tage im Amt verfügt.«

Richtig: »Dies hatte der damalige Kanzler noch während seiner letzten Tage im Amt verfügt.«

Übrigens: Johannes Rau wird, wie alle seine noch lebenden Amtsvorgänger auch, immer noch mit »Herr Präsident« angesprochen. Diese ehrenvolle Titulierung steht ihm protokollgemäß bis ans Ende seiner Tage zu.

Bleibt zum Schluss die Frage, ob man die Vorsilbe »Ex« üblicherweise mit einem Bindestrich absetzt oder ob man sie mit dem anschließenden Wort zusammenschreiben sollte: Ex-Frau oder Exfrau, Ex-Trainer oder Extrainer, Ex-Exhibitionist oder Exexhibitionist? Beides ist richtig. Geläufige Zusammensetzungen wie Exminister, Expräsident, Exfreundin kann man getrost zusammenschreiben, weniger gewohnte und komplexere Zusammensetzungen wie Ex-Ameisenkönigin, Ex-Formel-1-Profi und Ex-Travestiestar gerne koppeln. Jeder wähle sich die Form, die er für die am besten lesbare hält.

Nur keine Torschusspanik!

Frage eines Lesers: Jahrelang glaubte ich, dass man, wenn überhaupt, nur eine »Torschusspanik« haben könne. Nun höre ich aber immer wieder, dass meine Vorstellung einer Angst vor einem verzogenen Schuss aufs Tor nicht richtig sein soll. Heißt es tatsächlich »Torschlusspanik«? Wird da nicht irgendwas mit »Kurzschlussreaktion« verwechselt?

Antwort des Zwiebelfischs: Es heißt tatsächlich »Torschlusspanik«. Dieser Ausdruck geht zurück auf frühere Zeiten, als Städte noch von Mauern umgeben waren. Allabendlich wurden die Tore geschlossen; wer es nicht rechtzeitig in die Stadt geschafft hatte, musste damit rechnen, die Nacht vor den Toren zu verbringen. Daher hasteten die Menschen bei Sonnenuntergang bisweilen wie in Panik auf die Stadttore zu, um nicht ausgesperrt zu bleiben. Verwandt mit der Tor(es)schlusspanik sind die Redewendungen »kurz vor Toresschluss« (gerade noch rechtzeitig) und »nach Toresschluss« (zu spät).

Im Fußball mag es auch so etwas wie Torschusspanik geben, eine Psychose, die zum Beispiel einen Elfmeterschützen heimsucht. Doch dieser Ausdruck gilt – im Unterschied zur Torschlusspanik – nicht als feststehende Wendung.

Sie oder sie – du musst Dich entscheiden

Lieber du, schreibt man Dich eigentlich noch groß? Mehr können wir ihnen dazu im Moment nicht sagen, aber Ihnen natürlich schon. Wer kennt Sie noch, die richtigen Anredeformen? Ein Kapitel zum Thema Groß und klein bei Du und dein – und über den seltsamen Umgang mit Ihnen und Sie.

Mit der Wahl der passenden Anredepronomen tut sich manch einer schwer; und damit ist hier nicht die Frage gemeint, wann wir jemanden duzen oder siezen sollten; hier geht es vielmehr um die Probleme, die uns die Anredepronomen im Schriftlichen bereiten, weshalb man sie eigentlich auch *Anschreibepronomen* nennen könnte.

Im Zuge der Rechtschreibreform wurden alle Großschreibungen bei Duz-Formen abgeschafft. Wer seinem besten Freund einen Brief oder eine E-Mail schreibt, braucht ihn nicht länger mit »Du« anzureden, ein kleines »du« genügt.

Was den einen eine Erleichterung, ist anderen ein Ärgernis. Das großgeschriebene »Du« war doch schließlich eine Respektsbekundung, die nun mir nichts, Dir nichts entfällt, sagen die Gegner des kleingeschriebenen »du«. Jahrelang habe man den Freund mit großem »Du« hofiert, nun soll man ihn plötzlich mit einem mickrigen »du« abspeisen? Das käme doch einer Herabwürdigung gleich und einer Abwertung der Freundschaft! Das sehe aus wie eine unsinnige Kürzungsmaßnahme, als wollte man nun auch noch am Respekt sparen. So einen Unfug könnten sie nicht verantworten, sagen sie, und glücklicherweise müssen sie das auch nicht, denn die Abschaffung des großgeschriebenen »Du« mag zwar inzwischen an den Schulen gelehrt werden; wie aber jemand in seiner privaten Korrespondenz verfährt, ist Gott sei Dank immer noch ganz allein seine Sache, da kann ihm keine Kultusministerkonferenz dieser Welt hineinreden.

Viel schwerer aber haben es die Journalisten, die sich immer wieder fragen müssen, wie sie die Duz-Anrede im Interview oder in Zitaten zu schreiben haben. Die Antwort lautet: klein! Und das war schon immer so, also auch vor Einführung der Rechtschreibreform. Wenn der lässige Reporter im Gespräch mit dem Fußballspieler die kumpelhafte Frage stellt, ob er sich denn von der letzten Niederlage inzwischen erholt habe, so bleibt es sein Geheimnis, ob er das »Du« dabei großspricht oder kleinspricht, aber im später abgedruckten Interviewtext muss es kleingeschrieben werden: »Hast du dich denn von der letzten Niederlage inzwischen einigermaßen erholt?«

Denn hierbei handelt es sich lediglich um die WIEDERGABE eines Gesprächs, und beim Wiedergeben und Zitieren müssen eventuelle Höflichkeitsformen nicht berücksichtigt werden, solange es sich um Pronomen der zweiten Person handelt. Auch in der Literatur hat es nie der Großschreibung bedurft, wenn sich zwei Personen in einer Geschichte unterhalten:

Die Sonne war schon untergegangen, als der Kater endlich nach Hause kam. Feline erwartete ihn bereits voll Ungeduld. »Warum kommst du so spät?«, fragte sie. »Ich habe mir große Sorgen um dich gemacht!« – »Aber du weißt doch, dass du dir keine Sorgen um mich zu machen brauchst«, sagte Felix und leckte sich die blutverschmierte Tatze, »der fette Mops wird sich so bald nicht wieder in meine Nähe wagen!«

In der Mehrzahl bereitete die Anrede erst recht Probleme: »Liebe Tante Emmi, lieber Onkel Berti, wie geht es euch/Euch? Habt ihr/Ihr meine Karte aus Italien bekommen? Ich habe mich über euer/Euer Geschenk jedenfalls sehr gefreut!«

Auch damit ist nun Schluss, der Rechtschreibreform sei

Dank (?), jetzt gibt es nur noch kleine »ihrs« und »euchs«, Tante Emmi und Onkel Berti sind gewissermaßen zu *tante emmi* und *onkel berti* geworden.

Doch nun zur dritten Person. Hier wird die Sache erst richtig spannend, und hier liegt auch das größte Fehlerpotenzial. Denn ob man »du« und »ihr« in Briefen und E-Mails nun klein- oder großschreibt, ist vor allem eine Frage des persönlichen Stils und hat weniger mit richtig oder falsch zu tun. Etwas völlig anderes ist es mit dem »Sie«.

Beim Siezen werden alle Pronomen großgeschrieben, und zwar immer und ausnahmslos, sowohl in der direkten Ansprache als auch bei der Wiedergabe eines Interviews. Warum das so ist, lässt sich leicht begründen: Es besteht akute Verwechslungsgefahr! Sehen sie – Pardon: Sie nur mal hier:

Chatwoman: Meine Freundinnen gehen sehr oft ins Theater, manchmal nehmen sie mich mit.
Chatman: Im Schauspielhaus läuft ›Romeo und Julia‹. Haben sie das Stück schon gesehen?
Chatwoman: Wen meinen Sie? Meine Freundinnen?
Chatman: Nein, SIE! Haben SIE das Stück schon gesehen?
Chatwoman: Nein, noch nicht, aber ich würde sehr gern. Meine Freundinnen wollen es unbedingt sehen!
Chatman: Ich könnte ja mit ihnen mitgehen. Wie wäre das?
Chatwoman: Nun ja, da müsste ich sie erst mal fragen, aber in der Regel haben meine Freundinnen gegen eine neue Bekanntschaft nichts einzuwenden.
Chatman: Ich will mit IHNEN ins Theater gehen, nicht mit ihren Freundinnen.
Chatwoman: Im Grunde genügt bei ›Sie‹ und ›Ihnen‹ ein Großbuchstabe, nämlich am Wortanfang, wenn Sie mich meinen.
Chatman: ???

Ob Chatman und Chatwoman sich jemals getroffen haben und gar zusammen ins Theater gegangen sind, darf eingedenk dieses missglückten Starts ihrer Kommunikation bezweifelt werden.

Wenn er nicht gerade mit kulturinteressierten Damen chattet, ist Chatman womöglich Programmierer oder, noch schlimmer, Werbetexter, wenn nicht gar Redakteur. Die sind nämlich nicht selten von einer äußerst irritierenden Ihnen/ihnen-Schwäche befallen. Dabei schreiben sie nicht nur »sie« und »ihnen« klein, wenn »Sie« und »Ihnen« gemeint ist, sondern sie schreiben »Sie« und »Ihnen« groß, wenn es tatsächlich »sie« und »ihnen« heißen sollte. Ein Beispiel aus dem Internet:

»Wer den Messenger benutzt, merkt gleich, wann seine Freunde Ihren Computer eingeschaltet haben.« Offenbar ist dieser »Messenger« so eine Art Alarmsystem, das mich informiert, sowie sich einer meiner Freunde an meinem Computer zu schaffen macht. Ich frage mich nur, warum meine Freunde so etwas tun sollten? Allem Anschein nach aber kommt so etwas unter Freunden häufiger vor, sonst würde sich dieser »Messenger« wohl kaum verkaufen.

Ein anderes erheiterndes Beispiel lieferte eine Anzeige für eine Donaukreuzfahrt. Darin war der Satz zu lesen: »Die ›MS Savonia‹ ist ein Schiff der guten Mittelklasse und überzeugt durch Ihren besonders freundlichen Service an Bord.« Vorsicht, der Rabatt von 1100 Euro hat einen Haken: Willkommen auf der Galeere!

Wenige Tage vor der Wahl Joseph Ratzingers zum Papst stellte die Internetausgabe der »Bild«-Zeitung ihren Lesern die Frage:»Wird einer von Ihnen der neue Papst?«Diejenigen bild.de-Leser, die sich daraufhin Hoffnungen auf einen komfortablen Lebensabend in einem römischen Palast machten, wurden bitter enttäuscht, denn wie sich herausstellte, waren nicht sie gemeint, sondern die Kardinäle auf dem Foto.

Also: Beim Siezen schreibt man »Sie«, »Ihnen« und »Ihr« immer groß; wenn aber mit »sie«, »ihnen« und »ihr« dasselbe gemeint ist wie mit »die«, »denen« und »deren«, wenn es sich also nicht um eine Anredeform handelt, dann bleibt der Anfangsbuchstabe klein.

Und was ist mit »Euer Ehren«? Und mit »Ihro Gnaden« und »Euer Majestät«? Sind die antiquierten Anredeformen von der Rechtschreibreform etwa auch betroffen? Heißt es heute bloß noch »euer Ehren«, »ihro Gnaden« und »euer Majestät«? Wäre das nicht äußerst despektierlich, wenn nicht gar majestätsbeleidigend? Keine Angst, diese Form der Anrede wird weiterhin wie ehedem großgeschrieben, sie muss es sogar, um Verwechslungen mit dem gemeinen Volk zu vermeiden. Allerdings kommt sie nur noch selten zum Einsatz, in historischen Romanen etwa, in Theaterstücken, Drehbüchern oder Comics.

Apropos Comics: In der Bildererzählung »Asterix und die Trabantenstadt« gibt es eine köstliche Szene, in welcher Julius Cäsar seinen erstaunten Beratern erläutert, wie er das aufsässige gallische Dorf mithilfe eines gigantischen römischen Neubauareals in die Bedeutungslosigkeit abdrängen will. Cäsar spricht dabei von sich selbst konsequent in der dritten Person (so wie er es in seinem »Gallischen Krieg« tatsächlich tat), weshalb ihn einer seiner Berater zu seinem Plan mit den Worten beglückwünscht: »Er ist großartig!«, woraufhin Cäsar fragt: »Wer?« – »Na, Ihr!«, erwidert der Berater. Cäsar begreift und ruft: »Ach, Er!«

Kein Halten mit Halt?

Frage eines Lesers: Lieber Zwiebelfisch, mein Abitur-Deutschlehrer sagte immer, dass man das Wort »halt« nicht benutzen soll. Also in Sätzen wie »Das ist halt so« oder »Dann gehe ich halt mit«. Ist das »halt« falsch, oder ist es nur schlechtes Deutsch? Schließlich sagt man das des Öfteren, schreibt es jedoch so gut wie nie!

Antwort des Zwiebelfischs: Das Füllwörtchen »halt« ist weder falsches Deutsch, noch ist es schlechtes Deutsch. Es ist mundartlich. Man benutzt es vor allem im süddeutschen Raum, dort, wo alemannische und bairische Dialekte gesprochen werden. In der Hochsprache sind eher die gleichbedeutenden Ausdrücke »eben« und »nun einmal« gebräuchlich. Im Norddeutschen wird mitunter auch »man« gebraucht: »Dat is' man so.« Ohne »halt« hätten die Gebrauchsdichter in unserem Lande ein wichtiges Reimwörtchen weniger: »So ist's in diesem Sommer halt: Mal wird es kühl, mal bleibt es kalt.«

Der große Spaß mit das und dass

Nun geht's ans Eingemachte. Nämlich um jenen nie versiegenden Quell orthografischen Ungemachs, Deutschlands Rechtschreibfehler Nummer eins. Selbst Profis bekommen zittrige Finger, wenn sich ihnen beim Schreiben die quälende Frage aller Fragen stellt: Heißt es »das« oder »dass«?

Dass das »das«, das »dies« bedeutet, nicht dasselbe ist wie das »dass«, das eine Konjunktion ist, das hat wohl jeder irgendwann schon einmal gehört; aber nicht jedem hat sich der Unterschied zwischen den beiden Wörtchen so eingeprägt, dass er vor Fehlern gefeit ist. In der gesprochenen Sprache spielt der Unterschied keine Rolle, denn man hört ihn nicht. Solange man also nur plaudert und plappert, lässt sich jede »das/dass«-Schwäche verbergen. Erst wenn's ans Schreiben geht, zeigt sich, ob man den Stiel vom Stängel unterscheiden kann. Doch selbst routinierte Schreiber und Literaten haben mitunter ihre liebe Not damit. Sogar den Argusaugen erfahrener Lektoren und Korrekturleser entschlüpft das glitschige Detail bisweilen, sodass es immer wieder zu gedruckten Aussagen kommt wie dieser:
»Heino gab Siegfried ein geweihtes Medaillon des heiligen Paters Pio für dessen Freund Roy, dass den Zauberer bei seinem Heilungsprozess unterstützen soll.«
Rührend zwar, diese selbstlose Weihegabe Heinos, doch falsch das »dass« hinterm Komma. Dabei ist es im Grunde ganz einfach. Trotzdem geraten »dass« und »das« immer wieder durcheinander, so wie auch in diesem Beispiel:
»Bislang galt die Lehrmeinung, das die Natur diesem Säureangriff nicht hilflos gegenübersteht. Tatsächlich wirkt Speichel wie ein natürlicher Verdünner für die Säuren und kann ihr Erosionspotenzial herabsetzen.«

Obacht, der Text geht noch weiter:

»Speichel und gewisse Nahrungsmittel wie etwa Milch und Käse enthalten auch Kalzium und Phosphor, sodass man bisher davon ausging, dass diese Mineralien den erweichten Zahnschmelz wieder remineralisieren, dass heißt, diesen wieder härten.«

Nachdem der Verfasser zu Beginn eindeutig zu geizig mit dem Doppel-»s« umgegangen ist, sind zum Schluss des Absatzes offenbar die Gäule mit ihm durchgegangen. Dass das nicht »dass heißt« heißt, sondern dass das »das heißt« heißt, liegt daran, dass wir es beim »das« mit einem Pronomen zu tun haben.

Das einfache »das« ist schon für sich allein genommen sehr vielseitig. Es kann sächlicher Artikel sein (»das Ding«, »das Zauberbuch«, »das Universalgenie«), es kann Demonstrativpronomen sein und für »dies« oder »dieses« stehen (»*Das* wünsch ich dir«, »*Das* war hervorragend!«, »Kennst du *das* auch?«), und es kann als Relativpronomen fungieren, gleichbedeutend mit »welches«: »Ein Thema, *das* alle gleichermaßen interessiert, gibt es nicht«, »Nicht alle asiatischen Länder sind so gut dran wie Japan, *das* zu den sieben reichsten Industrienationen der Welt zählt«.

Wann immer man also anstelle von »das« auch »dies« oder »welches« sagen könnte, ist es ein Pronomen und wird genau wie der Artikel nur mit einem »s« geschrieben. Im Land der Schwaben kennt man noch eine andere Faustregel: Wann immer man auf Schwäbisch »des« sagen kann, schreibt man »das«, ansonsten »dass«: »Dass des so schwer sei soll, des versteh i net!«

»Das Hubble-Weltraumteleskop hat in Hunderten von Erdumrundungen ein Bild aufgenommen, *dass* das Weltall in seiner frühen Jugend zeigt.«

Richtig oder falsch? Richtig ist, wenn Sie auf »falsch« getippt haben! Denn hier könnte man auch sagen: »... ein Bild aufgenommen, *welches* das Weltall in seiner frühesten Jugend zeigt.« Und damit ist klar, dass es sich bei dem ersten »das« um ein Pronomen handelt.

Hieße der Satz aber so: »Mit Hunderten von Bildern hat das Hubble-Weltraumteleskop bewiesen, dass das Weltall in seiner frühen Jugend sehr viel dichter war als heute«, dann wäre das »dass« korrekt, denn dann handelt es sich um eine Konjunktion.

Eine Konjunktion ist ein »Bindeglied«, ein Wort, das (= welches) Satzteile oder Sätze miteinander verbindet. Die berühmteste Konjunktion ist »und«, über den verbindenden Charakter dürften keine Zweifel bestehen. Neben »und« gibt es mindestens drei Dutzend weiterer Bindewörter, und »dass« gehört dazu.

Die verwirrende Gleichheit zwischen der Konjunktion und dem Pronomen ist übrigens keinesfalls ein exklusives Phänomen der deutschen Sprache. Auch in anderen Sprachen spielen kleine Wörtchen eine solche Doppelrolle. Doch das Deutsche scheint die einzige Sprache zu sein, die zwischen der Konjunktion und dem Pronomen eine orthografische Unterscheidung vornimmt. Im Englischen gibt es »that« und »that«, im Niederländischen »dat« und »dat«, im Französischen »que« und »que« – jeweils als Konjunktion und als Relativpronomen, jeweils gleich ausgesprochen und gleich geschrieben.

Manch einer hatte gehofft, der Unterschied zwischen dem Pronomen »das« und der Konjunktion »daß« würde mit der Rechtschreibreform abgeschafft. Doch das war nicht der Fall. Der orthografische Unterschied blieb – und wurde sogar noch kniffliger. Musste man vorher immerhin den Finger noch zu einer anderen Taste bewegen, um die Konjunktion mit Eszett zu tippen, so hängt die Unterscheidung nun allein davon ab, ob man die »s«-Taste ein- oder zweimal anschlägt. Einige glauben feststellen zu können, dass die Ver-

wechslung seit Einführung der neuen Orthografie zugenommen habe. Möglicherweise aber ist dies nur ein Zufall,
genauer gesagt Folge eines Zusammentreffens unterschiedlicher Faktoren: Denn neben der Rechtschreibreform hat
auch die rasche Ausbreitung des Internets einen erheblichen
Anteil am munteren Gedeihen des orthografischen Wild-
wuchses.

Dass das »dass« nicht immer nur ein braves Single-Dasein
führt, sondern häufig auch in Gesellschaft wechselnder Partner auftritt, macht die Sache nicht gerade leichter: So gibt es
neben dem einfachen »dass« die erweiterten Konjunktionen
»sodass«, »auf dass«, »anstatt dass« und »ohne dass«. Aber
nicht »und dass«, wie offenbar einige Schreiber meinen, denen wir Beispiele wie die folgenden zu verdanken haben:

»Und *dass*, obwohl im Formel-1-Fahrerlager eine Menge
Leute herumlungern, die ziemlich feine Ohren haben.«

»Ein Krankenhaussprecher sagte, Mutter und Kind hätten
die schwere Geburt unbeschadet überstanden – und *dass*,
obwohl die Fahrt ins Krankenhaus acht Stunden gedauert
habe.«

Hinter solchen Sätzen stecken Dramen, davon macht sich
der Leser da draußen keine Vorstellung! Da bringt eine tap-
fere Mutter unter derart widrigen Umständen ein Kind zur
Welt, dass selbst der Redakteur noch unter den Nachwehen
zu leiden hat, wenn er nämlich das Ganze in einen Bericht
fassen und sich über *dies* und *dass* den Kopf zerbrechen
muss.

Ein Aufeinandertreffen von »und« und »dass« ist selbstverständlich trotzdem möglich: »Ich weiß, dass auch du nur
ein Mann bist *und dass* auch du nichts vom Geschirrspülen
hältst. Trotzdem wirst du heute den Abwasch machen, und
wenn es das Letzte ist, was du tust!«

Wenn die »das/dass«-Verwechslung nicht nur im Internet, sondern auch in gedruckten Zeitungen zugenommen

hat, so vielleicht deshalb, weil immer mehr Redaktionen aus Kostengründen auf Korrekturleser verzichten. Wozu braucht man die auch noch, wo es doch die Rechtschreibhilfe von Microsoft gibt! Die weiß allerdings auch nicht immer, welches *das(s)* gerade gefragt ist.

Der »Zwiebelfisch« hat die Probe aufs Exempel gemacht: Vier Sätze gleicher Bauart mit insgesamt vier »das/dass«-Fehlern. Die Korrekturhilfe von Word hat nur einen einzigen erkannt:

> Ich weiß, das ich nichts weiß, und das ist schon eine ganze Menge.
> Ich weiß, dass ich nichts weiß, und dass ist schon eine ganze Menge.
> Ich weiß, das ich nichts weiß, und dass ist schon eine ganze Menge.
> Ich weiß, dass ich nichts weiß, und das ist schon eine ganze Menge.

Tatsächlich ist nur einer der vier Sätze fehlerfrei. Wer nicht draufkommt, welcher es ist, der wird diesen Artikel wohl oder übel noch einmal von vorne lesen müssen. Denn dass das eine klar ist: Bei »dass« und »das«, da endet der Spaß!

Für den Berliner allerdings fängt er da gerade erst an, wie nachstehendem Text zu entnehmen ist, der ein köstliches Zeugnis Berliner Mundart ist:

»Det mit dem Det, det is doch janz einfach. Wenn de sachst, det Auto, det ick mir jekooft habe, det is dufte, denn wird det Det mit s jeschriem. Sar ick aba, ick gloobe, det de damit rinjefallen bist, denn wird det Det mit ß jeschriem – weil det Det nich det Det is, det de jrade jebraucht hast.«

Vierzehntäglich oder vierzehntägig?

Frage eines Lesers aus Siegburg: Ich frage mich immer wieder, was denn nun richtig ist: »die Zeitung erscheint vierzehntägig« oder »die Zeitung erscheint vierzehntäglich«. Es gibt doch beide Wörter – und bestimmt auch einen Unterschied. Wie lautet der?

Antwort des Zwiebelfischs: Zwischen vierzehntäglich und vierzehntägig besteht tatsächlich ein Unterschied. Zusammensetzungen mit »-tägig« beziehen sich auf die Dauer, Zusammensetzungen mit »täglich« beziehen sich auf das Intervall. Etwas, das »ganztägig« ist, dauert den ganzen Tag; etwas, das »tagtäglich« passiert, geschieht jeden Tag aufs Neue. Eine vierzehntägige Tour dauert zwei Wochen. Eine vierzehntägliche Tour hingegen kann ganz kurz sein, findet dafür aber regelmäßig alle zwei Wochen statt.

Derselbe Unterschied offenbart sich auch in dem Wortpaar »zweiwöchig« und »zweiwöchentlich«: eine zweiwöchige Konferenz dauert 14 Tage, eine zweiwöchentliche Konferenz ist eine Konferenz, die im Zwei-Wochen-Rhythmus stattfindet.

Auch von Monaten und Jahren lassen sich Wortpaare mit demselben Bedeutungsunterschied ableiten: Eine dreimonatige Kreuzfahrt dauert drei Monate, ein dreimonatlich verkehrendes Kreuzfahrtschiff legt alle drei Monate einmal an. Eine zweijährige Ausstellung läuft ohne Unterbrechung zwei Jahre lang, eine zweijährliche Ausstellung findet alle zwei Jahre statt.

Ein nachmittägiges Kaffeetrinken ist ein Kaffeetrinken, das am Nachmittag stattfindet. Wenn es nicht nur einmal, sondern täglich stattfindet, ist es ein nachmittägliches Kaffeetrinken.

Eine Zeitung, die im Zwei-Wochen-Rhythmus erscheint, erscheint vierzehntäglich. Ein vierzehntägiges Erscheinen gibt es auch – im ungünstigsten Fall kommt eine Zeitung nicht darüber hinaus; das bedeutet, dass ihr Erscheinen bereits nach zwei Wochen wieder eingestellt wird.

Nur von Montag's bis Sonntag's

Früher ging man zum Gruseln ins Kino oder fuhr mit der Geister-
bahn. Heute genügt ein Spaziergang durch die Fußgängerzone. Dort
präsentiert sich eine wahre Galerie des Grauen's: Häk'chen, wohin
das entzündete Auge blickt. Beim Genitiv, beim Plural – und beim
Kellerstüber'l und bei roten Ampel'n. Treten Sie ein und staunen
Sie! Aber bitte beachten Sie die Öffnung's Zeiten!

Wir kennen sie alle, wir haben sie alle schon gesehen: Pro-
spekte und Schaufensterinschriften, die uns »PC's« und
»Notebook's« verheißen. Daran gewöhnen werden wir uns
aber nie, denn dass die Pluralendung im Deutschen apostrophiert würde, steht in keinem Lehrbuch.

»Kaufe alles aus Oma'ß Zeiten!« – Dieser Spruch am
Schaufenster eines Antiquitätengeschäfts in Dresden habe
sein Leben verändert, schreibt ein bekennender Apostro-
phobiker auf seiner Homepage. Seitdem sammle er Bilder
von Katastrophen mit Apostrophen. Wie das von jenem
Kleinbus, auf den ein Transportunternehmer voller Stolz
den Satz lackieren ließ: »Ich halte nur an roten Ampel'n!!!«
Sehr schön ist auch das Hinweisschild, das den Ortsunkun-
digen zum »Bauer'n-Hof« führen soll.

Besonders schlimm erwischt hat es die Wochentage. Von
»Montag's« bis »Sonntag's« tanzen die Häkchen Samba. Der
normale Montag wurde abgeschafft, ebenso das schlichte
»montags« – es heißt jetzt immer »Montag's geschlossen«
oder »Durchgehend von Montag's bis Samstag's geöffnet«.
Wobei ich klarstellen möchte, dass »es heißt jetzt« nicht
heißt, dass es so richtig wäre. Man liest es nur immer häufiger. So machen es die Leute – schuld daran kann nicht allein
die Rechtschreibreform sein. Die erlaubt zwar Großschreibung von Morgen und Abend in Fügungen wie »heute Mor-

gen« und »gestern Abend«, aber an der Schreibweise von »morgens« und »abends« hat sie nichts geändert. Von Apostrophen war dabei nie die Rede! Da muss der flinke Fotohändler etwas gründlich missverstanden haben, der seinen Kunden mit einem liebevoll gereimten Vers verspricht: »Filme bis Abend's gebracht – die Bilder bis Morgen's gemacht!«

Einige Häkchen sind derart grotesk, dass sie fast schon wieder sympathisch wirken. Da preist ein wehmütiger Motorradveteran seine alte SR 500 mit folgenden Worten an: »Sie war steht'z ein guter Begleiter, aber irgendwann kam die Familie und sie wurde in den Keller verbannt.« So steht's tatsächlich auf Ebay zu lesen.

Stets zu Tränen gerührt ist man auch beim Anblick all jener Häkchen, die durch irgendein bedauerliches Missgeschick verrutscht sind und dem Schriftzug den Charme eines zerlaufenen Make-ups geben, so wie bei jener Imbissbude namens »Waldi,s Wurst Wig Wam«, bei der nicht nur der Apostroph heruntergekommen wirkt. Die Aussage »Hier schmeckt,s lecker«, mit der ein Eisverkäufer auf sich aufmerksam zu machen versucht, scheint sich in einen Hauptsatz (»Hier schmeckt«) und einen Nebensatz (»s lecker«) zu teilen, denn wo eigentlich ein Apostroph stehen sollte, hat es nur zum Komma gereicht. Dabei sind das ja nun wirklich zwei Paar Schuh.

Apostrophe sind auch nicht dasselbe wie Akzente! Ein Café zum Beispiel hat einen Akzent auf dem »e«, keinen Apostroph. Darüber war sich der Inhaber des Ladens »La Belle E'poque« offenbar nicht ganz im Klaren. Und der Betreiber der Berghütte, bei der man sich zum »Apre's Ski« trifft, wohl auch nicht.

In manchen Gegenden Deutschland's sieht es wahrhaft trostlos aus. Da kann ein buntes Schild schon viel Freude bereiten. So wie der Hinweis auf »Heike's Zoo'eck«. Allerdings wäre hier anstelle des Apostroph's (und ich rede nicht von

Heike's) ein Bindestrich angebracht. Wenn überhaupt. Noch besser als Zoo-Eck ist nämlich Zooeck. Zoo'eck jedenfalls ist grammatisch äußerst fragwürdig, um nicht zu sagen biz'arr.

Manch einer, der das Wort »Türe« gebraucht, ahnt insgeheim, dass es sich dabei um eine mundartliche Variante des Wortes »Tür« handelt. Vielleicht war das der Grund, der einen Lokalbesitzer dazu brachte, die handgeschriebene Bitte an die Gäste um einen Apostroph zu ergänzen: »Bitte Tür'e leise schließen!«

Falls es irgendjemanden tröstet: Nicht nur die Deutschen stehen dem Apostroph hilflos gegenüber. Auch in Österreich herrscht längst nicht überall vollständige Klarheit über den korrekten Umgang mit dem tückischen Häkchen. Ausgerechnet auf dem Campus der Wiener Universität wurde ein Schild gesichtet, das dem durstigen Studiosus den Weg ins »Kellerstüber'l« weisen soll. Der Apostroph ist hier geradezu ein Sakrileg, denn die österreichische Endsilbe »-erl« bildet eine feste Einheit und ist so untrennbar wie Schlag und Obers oder wie Kaiser und Schmarrn. Das wäre so, als lüde jemand auf Hochdeutsch ins »Kellerstübche'n«.

Dass viele Deutsche angesichts einer schier unüberschaubaren Zahl unterschiedlicher italienischer Pastasorten ratlos vor dem Regal stehen, kann den Einzelhandel nicht kalt lassen. In meinem Supermarkt gibt es deshalb seit neuestem einfach »Nudel'n«, und das zu einem sagenhaft günstigen »Preiss« (das ist Bayerisch und bedeutet »Fischkopf«). Jetzt überlege ich mir, wenn einer in das Wort »Türe« einen Apostroph einschlägt und bei »Nudeln« auch, wie mag er dann das Wort »Türen« schreiben? Mit zwei Apostrophen?

Es wurden auch schon Fälle von unsichtbarer Apostrophitis gesichtet. Das ist ein Widerspruch in sich, denken Sie jetzt vielleicht, denn wie kann man etwas sichten, das unsichtbar ist? Ich zeige es Ihnen: »Die schönsten Büro s am Kurfürstendamm«. So steht es auf einem großen Transpa-

rent, das quer über die Fassade eines Berliner Neubaus ge-
spannt ist. Haben Sie's bemerkt? Da ist kein Apostroph zu
sehen, und doch spürt man seine Gegenwart ganz deutlich.
Geradezu gespenstisch, finden Sie nicht? Oder bin ich der
Einzige, der hier etwas sieht? Dann wäre das Sick s sechs ter
Sinn.

Ganz und gar unschlagbar ist jene Regalbeschriftung, die
man in einem Media-Markt bestaunen kann. Nachschlagewerke auf CD-Rom werden dort unter der Rubrik »Lexica's«
geführt. Da ist nicht nur der Apostroph zu viel, sondern
auch der letzte Buchstabe. Ganz zu schweigen davon, dass
man Lexikon und Lexika auf Deutsch schon lange nicht mehr
mit »c« schreibt. Ob man es bei einer Berichtigung, so es je
zu einer kommen sollte, tatsächlich schafft, alle Fehler auf
einmal zu beseitigen? Vermutlich wird man sich zu »Lexi-
con's« entschließen. Denn irgendetwas muss doch apostrophiert werden. Sonst sieht es doch gar nicht mehr nach
Deutsch aus – und schon gar nicht nach Werbung.

Die kommt nämlich immer seltener ohne Häkchen aus:
Ein Prospekt der Modekette H&M stellt die These auf: »Es
geht um's Gewinnen«. Es geht offenbar nicht ums richtige
Deutsch. Wann wacht Saturn endlich auf und apostrophiert
seinen berühmten Schrei-Slogan? »Gei'z ist gei'l« – damit
würden sie Media's Markt doch glatt in den Schatten stellen!

Wie lang und breit ist Mecklenburg?

Frage eines Lesers: Ist es richtig, dass »Mecklenburg« nicht mit kurzem »e«, wie es die Schreibweise nahe legt, sondern mit langem »e« gesprochen wird? Wenn ja, warum ist dies so?

Antwort des Zwiebelfischs: Mecklenburg wird tatsächlich mit einem langen »e« gesprochen. Jedenfalls wurde es früher so gesprochen, und wer sich auskennt, der spricht es auch heute noch so. Denn bei dem »c« handelt es sich nicht um ein zweites »k« (wie in Zucker, Bäcker und schlecken), sondern um ein sogenanntes norddeutsches Dehnungs-c. Der Name Mecklenburg geht zurück auf das althochdeutsche Wort »michil«, welches »groß« bedeutet. »Michilinburg«, wie man im 11. Jahrhundert sagte, bedeutete also »große Burg«. Die befand sich im Süden von Wismar und gab dem umliegenden Land seinen Namen. Im Niederdeutschen des Mittelalters sprach man es »Mekelenborch« aus; irgendwann ist das zweite »e« dann ausgefallen, und übrig blieb »Meklenburg«, gesprochen »Meeklenborch«.

Unsere Schriftsprache kennt zwei Möglichkeiten, um die Dehnung eines Vokals zu markieren: Entweder wird der Vokal verdoppelt (aa, ee, oo) oder von einem Dehnungsbuchstaben begleitet. Heute gibt es als Dehnungsbuchstaben nur noch das »h« (wie in Mehl, Bohne, Fahrer) und, hinter dem »i«, das »e« (wie in Liebe, Tiere, Miete). Früher konnte das »e« auch hinter einem »o« stehen, wenn dieses »o« lang gesprochen wurde: Ortsnamen wie Soest, Oldesloe, Coesfeld und Itzehoe zeugen noch heute davon. Kein Norddeutscher käme auf die Idee, dieses »oe« als »ö« auszusprechen.

Auch das »c« im Wort Mecklenburg war ursprünglich ein Dehnungszeichen. Unglücklicherweise fiel es mit jenem

Platzhalter zusammen, der im Hochdeutschen das verdoppelte »k« ersetzt und phonetisch genau das Gegenteil bewirkt, nämlich den Vokal verkürzt. Das Wissen um die tatsächliche Länge des »e«-Klangs im Namen Mecklenburg geht langsam verloren. Selbst junge Mecklenburger »meckern« heute, anstatt zu »mekeln«. Ein Fehler ist das aber nicht, denn beide Ausspracheweisen gelten heute als richtig. Auch in einigen plattdeutschen Dialekten wird Mecklenburg mit kurzem »e« gesprochen.

Das Dehnungs-c findet man noch in vielen anderen norddeutschen Namen, die traditionell mit langem Vokal gesprochen werden: Schönböcken (gesprochen: Schönbööken), Bleckede (gesprochen: Bleekede). Auch Lübeck, das im 12. Jahrhundert noch Lübeke hieß, besaß einst ein langes »e«. Und der Name der berühmten Lübecker Buddenbrooks geht zurück auf den pommerschen Ortsnamen Buddenbrock. Um zu verhindern, dass alle Welt seine Romanfamilie mit kurzem »o« spricht, hat Thomas Mann sich für die (untypische, aber unmissverständliche) Schreibweise mit Doppel-o entschieden. Auch Namen wie Brockhaus und Brockmann wurden früher mit langem »o« gesprochen.

Ein weiteres Beispiel für das norddeutsche Dehnungs-c liefere ich übrigens selbst. Der norddeutsche Name Sick leitet sich nämlich von Siegfried ab und wurde lange Zeit entsprechend mit langem »i« gesprochen. Alteingesessene Norddeutsche sprechen ihn auch heute noch so aus: »Moin, Herr Sieeek!«

Die umgangssprachliche Verkürzung »Meck-Pomm«, die das nordöstliche Bundesland klanglich in die Nähe eines Fastfoodprodukts befördert, ist scherzhaft, aber keineswegs herabwürdigend. Wir Deutschen sind schließlich ein durchaus genussfreudiges und genießbares Volk: Man denke nur an Frankfurter (Würstchen), Berliner (Pfannkuchen), Hamburger (Frikadellen) und Thüringer (Bratwurst).

Und täglich berichten die Kreise

Wir alle haben schon oft gehört oder gelesen, dass jemand in bestimmten Kreisen verkehrt, und gelegentlich sieht man auch, wie sich jemand im Kreisverkehr verfährt. So etwas lässt sich erklären. Doch was zum Teufel hat es mit all den vielen Kreisen auf sich, aus denen ständig und immerzu zitiert wird?

Kaum schlägt man die Zeitung auf oder ruft seine Lieblingsnachrichtenseite im Internet auf, schon stolpert man über sie: Regierungskreise, Unternehmenskreise, Militärkreise, Führungskreise – Kreise, wohin das Auge blickt. Kreise in allen Formen und Größen. Selbst vor Kardinalskreisen und Rebellenkreisen ist man nicht sicher.

Kreise sind die Kronzeugen des Zeitgeschehens. Was immer in Politik und Gesellschaft getuschelt, gemunkelt, geklatscht und spekuliert wird – die Nachrichtenwelt erfährt es meistens aus irgendwelchen Kreisen.

Wie entstehen solche Kreise? Zum Beispiel so: Ein Reporter ruft einen Staatssekretär an, um ihm eine Stellungnahme zu einem brisanten Thema zu entlocken. Der Staatssekretär salbadert in gewohnter Manier drauflos, redet sich richtig schön in Fahrt, lässt sich zu leichtsinnigen Äußerungen hinreißen, beleidigt seine politischen Gegner und gibt womöglich parteiinterne Geheimnisse preis – und wenn der Reporter fragt: »Kann ich das zitieren?«, dann lautet die Antwort: »Aber halten Sie meinen Namen raus! Das haben Sie nicht von mir, haben Sie mich verstanden?« Da es sich der Reporter mit dem Staatssekretär nicht verscherzen will, hält er sich daran, und so liest man anderntags in der Zeitung: »... hieß es aus Kreisen der Regierung.«

Kreise sind für den Journalisten ein wichtiges Hilfsmittel, fast noch wichtiger als die automatische Rechtschreibprüfung von Microsoft. Denn viele Informationen kämen nie oder nur mit erheblicher Verspätung in Umlauf, wenn man sich nicht auf »Kreise« berufen könnte. Oftmals werden Informationen überhaupt nur unter der Bedingung preisgegeben, dass der Name des Informanten nicht genannt wird. »Das habe ich Ihnen unter zwei gesagt«, bekommt der Journalist dann zu hören. Das ist für ihn das Signal, beim Zitieren auf »Kreise« auszuweichen. »Unter eins« bedeutet: »Sie dürfen mich wörtlich zitieren.« Aussagen, die man »unter zwei« gesagt bekommt, darf man zitieren, aber ohne Nennung der Quelle; und alles, was man »unter drei« gesagt bekommt, das muss man ganz für sich behalten, jedenfalls fürs Erste.

Je heißer das Eisen, das ein Journalist anfassen will, desto größer die Wahrscheinlichkeit, dass ihm als zitierfähige Quellen nur ominöse Kreise zur Verfügung stehen.

Adelsreporter zum Beispiel brächten ohne Kreise vermutlich keine einzige Zeile zu Papier. Kaum hat mal wieder jemand im Buckinghampalast gegen die Etikette verstoßen und die Queen ihrem Ärger beim nachmittäglichen Fünf-Uhr-Tee Luft gemacht, liest man beim Friseur: »Wie aus Palastkreisen verlautete, war die Queen *not amused.*« Für viele Briten mag der Buckinghampalast der Nabel der Welt sein, um den sich alles dreht. Daher ist die Assoziation eines Kreismittelpunktes, von dem aus sich beim geringsten Hüsteln der Queen konzentrische Ringe über die gesamte Oberfläche der britischen Gesellschaft verbreiten, nicht ganz abwegig. Wer sich mit der Regenbogenpresse auskennt, weiß aber, dass die Kreise vor allem aus Geiern bestehen, die unaufhörlich um den Palast flattern, die Kamera und das Tonbandgerät permanent im Anschlag, und die in ständiger Verbindung stehen mit sämtlichen Kammerdienern, Zofen, Gärtnern und engsten Freundinnen irgendeiner Lady Chatterer, die zufällig dabei war und genau gesehen haben will, wie die Königin für einen kurzen Augenblick die Contenance verlor.

Und das ist noch der günstigste Fall. Im ungünstigeren – und vermutlich häufigeren – Fall steht der Hofberichterstatter nur mit anderen Hofberichterstattern in Verbindung und kennt weder einen Kammerdiener noch eine Zofe, geschweige denn eine enge Freundin von irgendwem; dann verbirgt sich hinter den zitierten Palastkreisen nichts weiter als ein Ondit. Das ist Französisch und bedeutet Gerücht.

»Kreise« können für vier verschiedene Gruppen von Informanten stehen. Erstens für die »darf ich nicht verraten«, zweitens für die »zu unbedeutend, um mit Namen genannt zu werden«, drittens für die »hab mir den Namen zwar irgendwo notiert, kann ihn im Moment aber nicht finden« und viertens für die, deren Existenz nicht bewiesen werden kann. Diese letzte Kategorie findet man vor allem links und rechts des Boulevards, in seriösen Redaktionen hat sie selbstverständlich Hausverbot.

Der wesentliche Vorzug der Kreise liegt in ihrer formlosen Beschaffenheit. Sie sind wie Nebel gestaltlos, transluzent, ungreifbar. Und damit auch unwiderlegbar. Kreise sind praktisch, das lässt sich nicht leugnen. Daher ist die Versuchung groß, sich ihrer häufiger zu bedienen, als dem Informationsgehalt gut tut. Denn da Kreise nun einmal nicht dingfest zu machen sind, wirkt sich ihr verstärktes Auftreten zu Lasten der Glaubwürdigkeit aus. Da hilft es auch nichts, sie in altmodischer Manier mit Attributen wie »wohlunterrichtet«, »eingeweiht« oder »gut informiert« zu schmücken. Die Annahme, die Kreise würden durch solche Zusätze glaubwürdiger, um nicht zu sagen runder, ist trügerisch.

Lästig ist auch die Angewohnheit, die einmal in den Text eingeführten Kreise weiter zu verwenden und dabei auf eine nähere Bestimmung zu verzichten. Es heißt dann einfach nur noch »verlautete aus den Kreisen« oder »hieß es aus den

Kreisen«, quasi analog zu bekannten Versatzstücken wie »sagte der Sprecher« oder »erklärte der Minister«.

Man kann sich fragen, welchen Informationswert solche Angaben haben: »… war aus den Kreisen zu vernehmen«, »hieß es aus den Kreisen«. Vor allem darf man sprachästhetische Zweifel anmelden. Schon allein das allzu häufig nachgeschobene »hieß es« ist hilflos; das Anhängen irgendwelcher Kreise verbessert nicht den Lesefluss, sondern verwässert den Lesegenuss.

Am tollsten wird's jedoch, wenn plötzlich Kreise auftauchen, die zu keinem Zeitpunkt im Text näher bestimmt und zugeordnet werden. Kreise, die aus dem Nichts auftauchen, durch nichts erklärt werden und somit nichts besagen. Da heißt es zum Beispiel:

»Kreisen zufolge geschah dies bereits im Juli 2001, also vor den Terroranschlägen, und damit bevor die Luftfahrtbranche in die Krise stürzte.« (»Börsen-Zeitung«)

Um welche Kreise es sich handelt, muss sich der Leser aus dem Zusammenhang selbst zusammenreimen. Und dass er sich Dinge selbst zusammenreimen muss, ist eigentlich nicht der Sinn einer Meldung.

»Kurz vor Verabschiedung der Gesundheitsreform im Kabinett wurde der Entwurf im Detail noch verändert. Wie aus Kreisen verlautete, sollen Apotheker künftig beliebig viele Apotheken führen dürfen.« (»Die Welt«)

Dass hier Regierungskreise gemeint sein könnten, liegt im Bereich des Wahrscheinlichen, Gewissheit hat der Leser jedoch nicht.

»Die CDU in Nordrhein-Westfalen schließt nach Angaben aus Kreisen den Rückzug des Bundesfraktionsvorsitzenden aus dem Parteipräsidium nicht mehr aus.« (SPIEGEL ONLINE)

Welche Kreise mögen hier gemeint sein? Rhein-Sieg-Kreis? Lippe? Minden-Lübbecke? Hochsauerland-Kreis?

Nein, die Kreise, um die es hier geht, sind auf keiner Karte und keinem Autokennzeichen zu finden. Vielmehr handelt es sich um Parteikreise, aber das wollte der Verfasser aus unerfindlichen Gründen nicht enthüllen. Und es kreist munter weiter:

»Im EU-Verfahren gegen den Software-Riesen hat Kreisen zufolge Konkurrent Real-Networks demonstriert, dass Microsoft sein Windows-Betriebssystem nicht ausschlachten muss, um die EU-Forderungen zu erfüllen.« (»Frankfurter Rundschau«)

Ein Freund, dem ich meine Besorgnis über die Zunahme der unbestimmten Kreise im Nachrichtenwesen mitteilte, wusste eine Antwort:»Das geht zurück auf die wilden Siebziger! Damals hat doch jeder Journalist Trips eingeworfen, davon bekam er Halluzinationen und sah lauter psychedelische Kreise. Das wirkt offenbar bis heute nach.« Vielleicht hat er Recht. Die Welt mag sich im Kreis drehen, in der Medienwelt dreht sich alles um Kreise.

»Störe meine Kreise nicht«, soll der griechische Gelehrte Archimedes einem römischen Soldaten zugerufen haben, der nach der Eroberung von Syrakus in sein Haus eindrang. Gemeint waren die geometrischen Figuren, die Archimedes in den Sand gezeichnet hatte. Dieser Ausspruch steht, in leicht abgewandelter Form, im Gebetbuch manches Journalisten gleich auf Seite eins:»Bitte lasst mir meine Kreise!« Er soll sie ja auch behalten. Nur soll er pfleglich mit ihnen umgehen, das heißt sie nicht überstrapazieren und vor allem nicht unerklärt lassen. So verlautet aus Zwiebelfischkreisen.

Provozierend provokant

Frage einer Leserin: Was ist der Unterschied zwischen provozierend, provokativ und provokant?

Antwort des Zwiebelfischs: »Duden« und »Wahrig« schreiben den drei Begriffen keinen erkennbaren Bedeutungsunterschied zu. Schlägt man unter »provokant« und »provokativ« nach, so findet man als Erklärung »herausfordernd, provozierend«. Dafür kennen die Wörterbücher noch eine vierte Variante: provokatorisch – was ebenfalls dasselbe bedeutet.

»Provozierend« wurde im 16. Jahrhundert aus dem lateinischen *pro-vocare* entlehnt, »provokant« gelangte im 17. Jahrhundert aus dem Französischen (*provocant*) in unsere Sprache. »Provokativ« ist wiederum eine Ableitung des Provokateurs, der erst im 20. Jahrhundert aus Frankreich kommend in den deutschen Sprachraum eindrang. »Provozierend« ist demnach die älteste Form, die von Gelehrten gebildet wurde, um künstlich hervorgerufene Reaktionen in naturwissenschaftlichen Disziplinen benennen zu können. So spricht man beispielsweise von krebsprovozierenden Substanzen, neuerdings wohl auch von »Krebs provozierenden« Substanzen, nicht aber von krebsprovokanten Substanzen. Provokant kann dafür eine Äußerung oder ein Verhalten sein, der Begriff scheint eher gesellschaftlicher als wissenschaftlicher Natur zu sein. Dasselbe gilt für provokativ. Und wer sich wie ein Provokateur, also wie ein Aufwiegler verhält, der verhält sich provokatorisch.

Der Jugendjargon hält übrigens noch eine weitere Ableitung bereit: Wer gerne demonstriert und Krawalle liebt, der ist »voll provomäßig drauf«. Womit wir gleich beim nächsten Thema wären ...

Die maßlose Verbreitung des Mäßigen

Dass die Umgangssprache einem Rinnsal gleich immer nach dem kürzesten Weg sucht, ist nachweislich falsch. Viele Menschen könnten ihre Telefonkosten halbieren, wenn sie sich angewöhnten, auf überflüssige Wortanhängsel zu verzichten. Doch das fällt offenbar genauso schwer wie der Verzicht auf Süßes und Kartoffelchips.

Gemessen am Unglück anderer geht es uns Deutschen eigentlich recht gut, und trotzdem ist eines der am häufigsten gehörten Wörter in unserer Alltagssprache »mäßig«. Manche Gespräche strotzen geradezu vor Mäßigkeiten: »Und wie klappt es bei dir so, beruflich und privat?« – »Jobmäßig läuft alles normal, urlaubsmäßig haben wir zwar noch keine Pläne, aber beziehungsmäßig sind wir im Moment total happy, das lässt sich nicht anders sagen!«

Doch, will man spontan widersprechen, das lässt sich anders sagen! In gemäßigterer Form nämlich, ohne all die überflussmäßigen Wortanhängsel. Stilistisch ist so ein Redebeitrag nämlich eine Zumutung; notenmäßig bekäme er bestimmt kein »Gut«, nicht einmal ein »Befriedigend«, sondern bestenfalls ein »Mäßig«.

Tatsächlich, um nicht zu sagen »tatsachenmäßig« lässt sich feststellen, dass die Deutschen auf das Suffix »-mäßig« nicht mehr verzichten können. Selbst der Duden räumt ein, dass das Wort »mäßig« heute »eine überaus große Rolle als Suffix« spiele. Ursprünglich, wenn nicht gar »ursprungsmäßig« geht »mäßig« auf »Maß« zurück, und bei den Begriffspaaren gleichmäßig/Gleichmaß, ebenmäßig/Ebenmaß und mittelmäßig/Mittelmaß lässt sich die unmittelbare Verwandtschaft nicht leugnen. Doch was sind Jobmaß, Urlaubsmaß und Beziehungsmaß? Von Maßhalten kann angesichts der inflationsmäßigen Verbreitung der Endung keine Rede sein.

Die Zeiten sind vorbei, da man dieses Phänomen noch als Jugendjargon oder WG-Küchengeschwätz abtun konnte. Inzwischen hat »mäßig« sämtliche Bereiche unserer Gesellschaft erfasst. Es treibt sich im Sport herum (»Das heimische Team muss sich angriffsmäßig schon etwas einfallen lassen, um das Bollwerk zu knacken«), es wabert durch die Wirtschaft (»Die Zuwachsraten lagen auch im vergangenen Jahr im guten zweistelligen Bereich: umsatzmäßig wie auch renditemäßig«) und ist selbstverständlich auch in der Politik anzutreffen, wo man sich ausdrucksmäßig bekanntlich stets um äußerste Präzision bemüht.

Wenn die Mitglieder eines Kabinetts oder einer Kommission sich in einer bestimmten Frage nicht einigen können oder schlichtweg keine Meinung haben, dann heißt es neuerdings, man habe sich noch nicht »beschlussmäßig positioniert«. In der Sache also kein Ergebnis, aber wischiwaschimäßig ein Volltreffer. Das ist Schaumschlägerei auf mäßig hohem Niveau. »Mäßig« hilft dabei, die Grammatik zu überlisten. Störende Gedanken über den richtigen Gebrauch von Präpositionen und Artikeln entfallen wie auch das Nachdenken über die korrekte Deklination. Statt »Mit den Plätzen hatten wir großes Glück« sagt man: »Platzmäßig hatten wir großes Glück.« Mäßig ist schnell und bequem. Die Abstumpfung hat gesiegt.

Nicht einmal das Militär ist gegen die sprachliche Unterwanderung geschützt: So war von einem General zu lesen, der sich redlich Mühe gab, die Sorge zu zerstreuen, »dass sicherheitsmäßig ganz Afghanistan aus der Balance geraten könnte«.

»Wichtig ist jetzt erst einmal, überhaupt die Bereitschaft hinzubekommen, sich auf unsere Bedingungen diskussionsmäßig einzulassen«, beschwor derweil eine Grünen-Politikerin – vermutlich vergebens – die diskussionsresistente Industrie.

Psychologen wissen: »Eine kopfmäßige Überzeugung führt noch lange nicht zu einer Bewusstseinsänderung oder Änderung der Wertmaßstäbe«, und mancher heutige Oberklassenwagenbesitzer erinnert sich lächelnd, dass er sich in den Siebzigern »automäßig für einen knallbunten R4 entschieden« habe. Ach ja, die goldenen Siebziger! Würde Hans Rosenthal noch leben und bei »Dalli Dalli« in die Luft springen (»Das war Spitze!«), so müsste er heute wohl ausrufen: »Das war spitzenmäßig!«

Vor etlichen Jahren gab es den Versuch, auch das Adjektiv »technisch« als Suffix zu etablieren. Da liefen die Dinge »beziehungstechnisch« mal besser, mal schlechter, man hatte »arbeitstechnisch« die Nase vorn und war »informationstechnisch« auf dem Laufenden, lange bevor der Begriff »Informationstechnologie« in unserer Sprache auftauchte. Aber dieses Anhängsel war vielleicht zu kompliziert, zu technisch, jedenfalls hat es den Erfolg des schlichteren »mäßig« nie erreicht.

Und »mäßig« wuchert ungehemmt. Schon werden andere, bis vor kurzem noch völlig unstrittige Wörter in Mitleidenschaft gezogen: Der »ordnungsgemäße Zustand« wird immer häufiger zum »ordnungsmäßigen Zustand«, und eine »blitzartige Reaktion« gibt es auch schon als »blitzmäßige Reaktion«.

»Wir stehen finanzmäßig mit dem Rücken zur Wand«, stöhnt der Vorstandsvorsitzende einer Krankenkasse erbarmungsmäßig. Wer hat ihm bloß gesagt, dass »finanziell« nicht mehr geht, bloß weil bei seiner Kasse finanziell nichts mehr geht?

Man ist ja heutzutage geneigt, hinter jeder sprachlichen Unsitte einen Anglizismus zu vermuten. Und tatsächlich gibt es ein berühmtes Beispiel der Filmgeschichte, das diese Annahme stützt: In Billy Wilders Meisterwerk »Das Appartement« aus dem Jahre 1960 taucht ein Mann namens Kirkeby auf, der die höchst eigenwillige Angewohnheit hat, an alle möglichen und unmöglichen Wörter ein »-wise« anzuhängen – was in der deutschen Synchronfassung sehr treffend mit »-mäßig« wiedergegeben wird: »Prämienmäßig und rechnungsmäßig liegen wir um 18 Prozent besser als im letzten Jahr – oktobermäßig«, hört man Kirkeby zum Beispiel diktieren. Der Angestellte C. C. Baxter, dargestellt von Jack Lemmon, macht sich über diese Sprechweise lustig: »Fahren Sie vorsichtig«, sagt er zur Aufzugführerin Fran Kubelik (Shirley McLaine), »Sie befördern kostbare Fracht – ich meine arbeitskraftmäßig.« Und weiter: »Sie werden es nicht glauben, Miss Kubelik, aber ich liege an der Spitze – leistungsmäßig. Und vielleicht ist das heute mein großer Tag – aufstiegsmäßig.« Die junge Frau lacht und erwidert: »Sie fangen schon an, Mr-Kirkeby-mäßig zu reden!« Am Ende werden die beiden ein Paar – Baxter hat den Vogel abgeschossen, kubelikmäßig. Hier wurde eine Marotte zur Kunstform stilisiert, doch das ist etwas anderes als das mäßige Deutsch, das uns in der Alltagssprache begegnet.

Wie ein wirbelloses Tier quetscht sich der »mäßig«-Zusatz noch durch die engste Ritze und nistet sich in Lücken ein, die eigentlich gar keine sind. So wird aus einer »nicht erwerbstätigen Person« plötzlich eine »nicht erwerbsmäßig tätige Person«, eine Bilderbuchlaufbahn leiert zu einer »bilderbuchmäßigen Laufbahn« aus, und »verkehrsgünstige Anbindungen« werden unnötigerweise als »verkehrsmäßig günstige Anbindungen« angepriesen.

Da kann einem magenmäßig schlecht werden, und zwar saumäßig, und man möchte den Überträgern der Suffixseuche den dringenden Rat erteilen: »Mäßigen Sie sich!«

Wie nennt man das Ding an der Kasse?

Frage eines Lesers: Lieber Zwiebelfisch, ich suche die Bezeichnung für die Dinger, die man beim Einkaufen auf das Laufband legt, um die eigenen Waren von denen des Vordermanns abzugrenzen. Kannst du mir vielleicht weiterhelfen?

Antwort des Zwiebelfischs: Über das Ding an der Kasse haben sich schon erstaunlich viele Menschen den Kopf zerbrochen, es ist ein Dauerbrenner unter den »Wie nennt man«-Fragen. Einigen gilt es gar als eines der letzten fünf ungelösten Rätsel unserer Zeit. (Fragen Sie mich nicht, welches die anderen vier sein sollen.) Als ich zum ersten Mal nach dem Ding an der Kasse gefragt wurde, hatte ich keine Antwort parat. Seitdem ging mir die Frage nicht mehr aus dem Kopf. Ich konnte nicht mehr einkaufen, ohne daran zu denken. Ständig hämmerte es in meinem Hirn: »Wie nennt man das Ding an der Kasse?« Ich fing an, wichtige Besorgungen zu vergessen, vertat mich beim Geldabzählen, packte gedankenverloren die Einkäufe des folgenden Kunden mit in meine Tüte. Irgendwann kam mir der Gedanke, die Kassiererin zu fragen. Die sieht das Ding doch ständig vor ihrer Nase, da muss sie doch auch wissen, wie man es nennt. »Wie lustig, dass Sie danach fragen«, erwiderte sie, »dasselbe habe ich mich nämlich auch schon immer gefragt!«

Es blieb mir also nur, die Sache logisch anzugehen. Wozu dient das Ding?, fragte ich mich. Es trennt die Waren auf dem Kassenfließband. Und ein Ding, das Waren trennt, sollte auch so genannt werden: »Warentrenner«. Ich machte flugs die Probe aufs Exempel und gab den Begriff »Warentrenner« in eine Internetsuchmaschine ein. Und ich wurde prompt fündig. Zu meiner Freude stellte ich fest, dass sich bereits ein ganzes Diskussionsforum zur Klärung dieser bedeutsamen Frage zusammengefunden hatte. Dabei zeigte sich, dass auch die anderen Sprachinteressierten mehrheitlich für die Bezeichnung »Warentrenner« plädieren. Weitere Vorschläge lauten: (Waren-)Trennbalken, (Waren-)Trennstab, Trendy, Warenstaffelstab, Kassenbandriegel und Separator. In der Schweiz kennt man außerdem den Ausdruck »Kassentoblerone«. Besonders gefiel mir auch »Näkubi«, kurz für »Nächster Kunde bitte!« Die mit Abstand charmanteste Idee stammt aus Ostfriesland: »Miendientje«, weil man es zwischen »meins« (mien) und »deins« (dien) legt.

Bereits vor einigen Jahren hat das »Jetzt«-Magazin der »Süddeutschen Zeitung« seinen Lesern den Begriff »Warenstopper« empfohlen. Der setzte sich allerdings nicht durch, denn er ließ vermuten, das Ding sei dazu da, die Waren daran zu hindern, vom Kassenband herunterzufallen. Der Kolumnist Max Goldt machte den Vorschlag, das Ding an der Kasse »Warenabtrennhölzchen« zu nennen. Nur ist das Hölzchen heute meistens aus Kunststoff oder Metall.

Das sicherste Indiz liefern in solchen Fällen für gewöhnlich Handel und Industrie. Die Hersteller und Vertreiber müssen schließlich wissen, wie ihre Produkte heißen. Die Internetsuche mit dem Begriff »Warentrenner« führt auf die Seiten mehrerer Werbeartikelanbieter, bei denen man Warentrenner in den verschiedensten Größen und Formen bestellen kann.

Ihre Frage wirft übrigens gleich die nächste auf: Was ist ein Laufband im Unterschied zum Kassenband? Laufbänder findet man eher in Fitness-Studios als in Supermärkten. Einige Handelsketten empfehlen ihren Kassierern und Kassiererinnen allerdings, regelmäßig Sport zu treiben, es wäre also denkbar, dass das Kassenband nach Ladenschluss zum Laufband wird. Fortgeschrittene benutzen dann womöglich die Warentrenner zum Hürdenlauf.

Von der deutschlandweiten Not, amerikafreundlich zu sein

Eine Angst geht um in deutschen Landen. Die Angst, zusammenzuschreiben, was zusammengehört. Sie ist »Deutschland-weit« verbreitet und führt zu bizarren Schreibweisen wie »Veilchen-artig«, »Tollwut-frei« und »Amerika-freundlich«. Dabei ist es gar nicht schwer, ein Adjektiv richtig zu schreiben. Man muss sich nur trauen.

Eine junge Fernsehredakteurin, die sich nach eigener Auskunft gerade mit dem Thema Paarungsverhalten beschäftigt, stellt mir folgende Frage: »Wenn ein Mensch sich ähnlich wie ein Pavian verhält, hat man es dann mit einem ›Pavian-ähnlichen Verhalten‹ oder einem ›Pavian ähnlichen Verhalten‹ zu tun?« Ich verwerfe sowohl die erste als auch die zweite Variante und schlage stattdessen eine dritte vor: »Schreiben Sie die beiden Wörter einfach zusammen und machen Sie ein *pavianähnliches* Verhalten daraus!« – »Geht das denn?«, fragt sie ungläubig. »Aber gewiss doch!«, erwidere ich. »Es handelt sich um ein Adjektiv, nichts weiter. Auch wenn es aus zwei Teilen besteht – pavianähnlich wird genauso zusammengeschrieben wie affenartig.« – »Das klingt einleuchtend«, sagt sie, »darauf hätte ich eigentlich auch selbst kommen können. Irgendetwas hielt mich bislang immer davon ab, große und kleine Wörter zusammenzuschreiben.«

Ihre Skepsis ist symptomatisch für eine weit verbreitete Scheu vor der Zusammenschreibung zusammengesetzter Eigenschaftswörter. Diese Scheu ist besonders stark, wenn der erste Teil eine Gattungsbezeichnung oder ein geografischer Name ist. Wie oft stößt man in Texten auf seltsame Konstruktionen wie »Europa-weit« oder »Amerika-freundlich«. Dabei gilt für Namenswörter dasselbe wie für alle Hauptwörter: Werden sie zu Adjektiven oder Adverbien umgebaut, büßen sie ihre Großschreibung ein – eine Konsequenz, vor der sich viele zu fürchten scheinen. Seltsam – *wo doch heute sonst kaum noch jemand rücksicht auf groß- und kleinschreibung nimmt.*

So wie man menschenfreundlich und kinderfreundlich sein kann, kann man auch amerikafreundlich sein. Der eine ist weinselig, der andere stresserprobt, und wer längere Zeit in Ungarn gelebt und viel über Ungarn erfahren hat, der ist ungarnerfahren. Was für Frankreich typisch ist, das ist frankreichtypisch – wenn es nicht typisch französisch ist. Und wer beim Verlassen Berlins Entzugserscheinungen verspürt, der ist höchstwahrscheinlich berlinsüchtig.

»Und was ist, wenn jemand gleichzeitig Amerika und Europa gegenüber freundlich gesinnt ist?«, fragt die Redakteurin weiter. »Ist er dann ›*Amerika, klein, mit Bindestrich/neues Wort: und/neues Wort: Europa, klein, plus freundlich, ohne Leerzeichen*‹?« Ich setze die Diktiervorgaben vor meinem geistigen Auge in Schrift um und sage mit einem Nicken: »Ganz genau, dann ist er amerika- und europafreundlich.«

Die Scheu vor der Zusammenschreibung hat die deutschsprachige Presse fest im Griff. Wie oft liest man: »Wie aus Unions-nahen Kreisen verlautete …« So unflexibel ist die Union nicht, dass sie nicht eine Koalition mit einem Adjektiv eingehen könnte: unionsnahe Kreise – voilà! Weitere Beispiele der gleichen Bauart:

· *MTX ist ein Virus, das sich Wurm-ähnlich verbreitet und versucht, auf der Festplatte ein trojanisches Pferd abzulegen.*
· *Der Van ist nicht Oberklassen-kompatibel.*
· *Obelisken sind steinerne Säulen mit Pyramiden-förmiger Spitze, die zur Ehrung des Sonnengottes Ra aufgestellt wurden.*

Zwar sind Computerviren fiese Dinger, und ein Ausschluss aus der Oberklasse ist ein harter Schlag. Dennoch sind die Wörter wurmähnlich und oberklassenkompatibel genau wie pyramidenförmig nichts anderes als kleine, niedliche und völlig harmlose Adjektive. Ihr Anblick ist weder abschreckend noch »Gewöhnungs-bedürftig«. Sie tun nichts, sie beißen nicht, man kann sie anfassen und streicheln. Man muss sich nur trauen. Sie derart auseinander gerissen zu sehen ist für geübte Leser eher befremdlich. Genauso befremdlich wie »Gewitter-artige Schwüle« oder »Betriebs-bedingte Kündigung«. Im ungünstigsten Fall kann der Bindestrich sogar zu höchst bedauerlichen Missverständnissen führen. Bei Zusammensetzungen, die aus zwei gleichrangigen Adjektiven bestehen, hat der Bindestrich nämlich eine andere Funktion, als nur der Lesbarkeit zu dienen: Er ersetzt ein »und«. Beispiele: ein blassgrün-dunkelbraunes Hemd ist sowohl blassgrün als auch dunkelbraun; ein deutsch-französisches Unternehmen ist deutsch und französisch; ein rötlich-rundlicher Stein ist einerseits rötlich und andererseits rundlich. Was wäre demnach ein Mann, der als »türkisch-stämmig« beschrieben wird? Manchmal wirkt das Auseinanderschreiben nicht nur grafisch, sondern auch inhaltlich entstellend.

Eine mögliche Ursache für die häufig auftretende Getrenntschreibung zusammengesetzter Eigenschaftswörter liegt in der Rechtschreibprüfung von Microsoft, die bei den meisten in »Word« geschriebenen Texten zur Anwendung kommt. Sie unterstreicht alle Wörter, die das Programm nicht kennt, mit einer gezackten roten Linie. Die neueste Version dieser Rechtschreibprüfung ist zwar schon deutlich besser als ihre Vorgängerinnen, aber noch immer gibt es eine Vielzahl von Wortzusammensetzungen, die das Programm nicht kennt. Das ist auch gar nicht verwunderlich, denn theoretisch sind in der deutschen Sprache unendlich viele Wortzusammensetzungen möglich. Das zeichnet unsere Sprache ja gerade aus und macht sie so unermesslich reich. Von diesem Reichtum scheinen allerdings viele ihrer »Anwender« gar nichts zu wissen.

Über die Nachricht »Peking erklärt Chinas Schweine für Vogelgrippe-frei« haben sich die Fleischfresser in aller Welt bestimmt sehr gefreut. Sie hätten es aber genauso getan, wenn dort »vogelgrippefrei« gestanden hätte, in Analogie zu tollwutfrei, alkoholfrei, rauchfrei, autofrei und eisfrei. Zugänge, die den Bedürfnissen von Behinderten gerecht werden, dürfen getrost als »behindertengerecht« bezeichnet werden. Das Prädikat »Behinderten-gerecht« sieht die deutsche Grammatik jedenfalls nicht vor.

Und damit nicht genug: Selbst Eigennamen können zu Adjektiven verbaut werden und kommen dann in den ungewohnten Genuss der Kleinschreibung. Im Duden findet man zum Beispiel unter dem Buchstaben »G« das Stichwort »goethefreundlich«. Die neue deutsche Rechtschreibung erlaubt inzwischen zwar auch das Setzen eines Bindestrichs, wenn der Name hervorgehoben werden soll, aber bei einem derart bekannten Namen wie Goethe ist dies eigentlich nicht nötig. Auch ein »schrödernaher Vertrauter« und eine »merkelähnliche Frisur« können zusammengeschrieben werden, sofern aus dem Zusammenhang hervorgeht, welcher Schröder und welche Merkel gemeint sind.

»Und wie verhält es sich dann mit Abkürzungen?«, will die Redakteurin von mir wissen. »Gilt auch da Klein- und Zusammenschreibung? Eine spdnahe Stiftung? Eine gmbhähnliche Struktur? Ein euweites Verbot?« – »Selbstverständlich nicht«, beruhige ich sie, »das könnte ja nun wirklich kein Mensch mehr lesen und verstehen. Bei Abkürzungen behilft man sich mit dem Bindestrich: eine SPD-nahe Stiftung, eine GmbH-ähnliche Struktur, ein EU-weites Verbot. Aber eben nur bei den Abkürzungen. Bei ganzen Wörtern hingegen sollte man sich in Zusammenschreibung üben. Was immer auf -ähnlich, -freundlich, -mäßig, -artig oder -nah endet, ist ein gewöhnliches Eigenschaftswort und bedarf keiner Kopplung.«

»Hör ich richtig?«, mischt sich der neugierige Assistent ein, der sich zu uns gesellt hat. »Ihr unterhaltet euch über Rechtschreibung?« – »Wir streicheln Adjektive!«, sagt seine Kollegin. »Das solltest du auch mal machen, es fühlt sich wirklich toll an!« Der Assistent wirkt verdutzt: »Ihr streichelt Adjektive?« – »Ganz genau! Ich lerne gerade, meine Scheu vor der Zusammenschreibung zu überwinden. Ich glaube, ich könnte jetzt Begriffe wie *kohlendioxidhaltig* und *auberginenfarbig* in einem Rutsch durchschreiben!« – »Und Sie werden feststellen«, sage ich, »es tut überhaupt nicht weh!«

Wer Amerika freundlich gesinnt ist, ...	... der ist amerikafreundlich.
Wer sich für Asien interessiert, ...	... der ist ein asieninteressierter Mensch.
Wer Chinesisch kann, ...	... der ist chinesischkundig.
Wer in ganz Deutschland bekannt ist, ...	... der ist deutschlandweit bekannt.
Ein fürs Fernsehen taugliches Gesicht ...	... ist ein fernsehtaugliches Gesicht.
Wer sich Franzosen gegenüber feindlich verhält, ...	... der verhält sich franzosenfeindlich.
Ein für den Oscar nominierter Film ...	... ist ein oscarnominierter Film.
Wer sich einem Pavian ähnlich verhält, ...	... der zeigt ein pavianähnliches Verhalten.
Eine Lampe, die die Form einer Pyramide hat, ...	... ist eine pyramidenförmige Lampe (auch: eine pyramidale Lampe).
Wer wie ein Roboter geht, ...	... der hat einen roboterartigen Gang.
Ein Gebiet, das frei von Tollwut ist, ...	... ist ein tollwutfreies Gebiet.
Wer türkische Vorfahren hat, ...	... der ist türkischstämmig.
Prominente, die der Union nahe stehen, ...	... sind unionsnahe Prominente.
Ein von einer Videokamera überwachter Parkplatz ...	... ist ein videoüberwachter Parkplatz.
Wer der Weihnacht müde ist, ...	... ist ein weihnachtsmüder Mensch.

Grammatischer Radbruch

Frage eines Lesers: Beim Lesen einer renommierten Berliner Tageszeitung stolperte ich in einem Bericht über Paul McCartney über folgende Formulierung: »McCartney hat diesen Blick des ewig unbedarften Jungen auch mit 60 noch gut konserviert, dem man nur schlecht böse sein kann. Auch dann nicht, als er ein paar Kinderverse auf Deutsch radebrach.« Dass McCartney Probleme mit der deutschen Sprache hat, ist verzeihlich und nicht weiter überraschend. Aber es stellt sich doch die Frage, wer »radebrach« hier mehr?

Antwort des Zwiebelfischs: Ihre Zweifel sind durchaus berechtigt, das Verb »radebrechen« wird tatsächlich regelmäßig gebeugt:

er radebrecht (nicht: radebricht)
er radebrechte (nicht: radebrach)
er hat geradebrecht (nicht: hat radegebrochen)

Das Wort geht ins Mittelalter zurück, als Übeltäter für ihre Vergehen noch aufs Rad gebunden wurden (daher auch: gerädert), wo man ihnen dann alle Knochen brach. In späteren Jahrhunderten erlangte es die Bedeutung »quälen«, und seit dem 17. Jahrhundert bezeichnet »radebrechen« das Schinden einer Sprache.

Obwohl mit dem unregelmäßig gebeugten Verb »brechen« verwandt, hat »radebrechen« als feste Fügung einen anderen Konjugationsweg eingeschlagen. Die zitierte Zeitung hat also beim Beugen eine grammatische Reifenpanne gehabt, treffender gesagt: einen Radbruch.

Hier werden Sie geholfen!

»Das kostet Ihnen keinen Cent!«, verspricht ein Anbieter im Internet. Offenbar kostet uns seine Werbung dafür den Akkusativ. Doch nicht nur die Reklamesprache gibt uns immer wieder neue Rätsel auf. Auch manchem Politiker sind schon die Fälle davongeschwommen. Dem muss man dann erst mal wieder richtiges Deutsch lernen.

Jeder kennt die Werbung für die Telefonauskunft, bei der die Verona Feldbusch ihr Image als grammatikschwaches Dummchen geschickt vermarktet, wenn sie die berühmten Worte spricht: »Da werden Sie geholfen.« Die meisten wissen natürlich, dass dies falsches Deutsch ist und dass es richtig heißen muss: »Da wird Ihnen geholfen.« Den meisten ist bekannt, dass das Verb »helfen« aktivisch und mit dem Dativ gebildet wird, nicht passivisch wie in »Hier werden Sie beraten« oder »Da werden Sie verschaukelt«.

Den meisten, wohlgemerkt. Die meisten sind aber nicht alle. So wurde mir von einem Fall berichtet, bei dem eine Kundin in einem Schuhgeschäft die höfliche Frage einer Verkäuferin, ob sie eine Beratung wünsche, mit den Worten erwiderte: »Nein danke, ich werde schon geholfen!« Die Verkäuferin sah die Kundin ungläubig an und wartete auf ein Zwinkern, ein Lächeln, auf irgendein Zeichen, mit dem die Kundin zu erkennen gab, dass sie sich einen sprachlichen Scherz erlaubt habe. Aber da kam nichts. Offenbar war die Kundin fest davon überzeugt, die richtigen Worte gewählt zu haben. Und dabei sah sie Verona Feldbusch nicht einmal ähnlich.

Schlimmer noch als die Verwechslung von Aktiv und Passiv ist die Verwechslung von Akkusativ und Dativ. Ein Freund von mir sagt hartnäckig, er sei »im Gespräch verwickelt gewesen«, was für mich so klingt, als hätte während des Gesprächs plötzlich jemand ein Netz über ihn geworfen. Unlängst schrieb mir eine besorgte Leserin, sie habe das Gefühl, dass immer mehr Menschen nach Präpositionen, die den Dativ erfordern, den Akkusativ benutzten. Als sie kürzlich in einem Geschäft mit ihrer Kreditkarte bezahlen wollte und diese sich nicht durch das Kartenlesegerät ziehen ließ, habe ihr die Kassiererin gesagt:»Das liegt an den Apparat.« Die Leserin fragte sich indes, woran es liege, dass die Kassiererin hier den Akkusativ wählte. An falschen Vorbildern in der Werbung?

Man darf den Einfluss der Werbung nicht überschätzen. Wenn die deutsche Sprache im Fall eines dritten oder vierten Falles gelegentlich ins Schwanken gerät, so liegt dies vor allem an der Tatsache, dass wir Deutschen ein Volk von Dialektsprechern sind. Und jede Mundart hat ihre eigenen Regeln, gerade was den Gebrauch der Fälle angeht. Der Berliner zum Beispiel kann mit dem Akkusativ nicht viel anfangen. So lautet die schönste Erklärung, die ein Mensch einem anderen machen kann, auf Berlinerisch:»Ick liebe dir.«

In anderen Gegenden wiederum erfreut sich der Akkusativ weitaus größerer Beliebtheit als der Dativ. Im Ruhrgebiet zum Beispiel heißt es am Frühstückstisch:»Gib mich mal die Butter.« Auch der Aachener kommt problemlos ohne »mir« und »dir« aus und lässt auch sonst alles weg, was nach seinem Gefühl nicht unbedingt nötig ist. Wenn ihm das Angebot in der Kantine nicht zusagt, sagt er:»Ich jeh nach Haus und koch mich selbst.« Bei gegenständlichen Objekten verwendet er auch gerne mal den Nominativ:»Kannste mich mal der Schlüssel jeben?«

Auch der Kölner lehnt die Existenz von mehr als zwei Fällen hartnäckig ab. Man sagt »dat Mensch« im Nominativ und im Akkusativ, und »demm Mensch« im Dativ und im Genitiv. In Köln kommt man damit wunderbar zurecht. Dass sich, je nach Region, bei bestimmten Wendungen ein unterschiedlicher Kasusgebrauch eingebürgert hat, ist weder ungewöhnlich noch unerklärlich. Es ist historisch so gewachsen.

Schließlich ist es selbst im Hochdeutschen längst nicht immer eindeutig. Heißt es »auf *sein* Recht beharren« oder »auf *seinem* Recht beharren«? Der Duden lässt hier nur den Dativ gelten. Bei »auf etwas bestehen« geht hingegen beides, man kann »auf *seinem* Recht bestehen« (wenn man darauf beharrt), und man kann »auf *sein* Recht bestehen« (wenn man es einfordert). Immer wieder gerate ich ins Grübeln, wenn ich mit der Frage konfrontiert werde, ob es »Er hat *ihm* auf die Füße getreten« heißt oder »Er hat *ihn* auf die Füße getreten«. Aber auch hier ist beides möglich.

Einem Bericht der »taz« zufolge soll der bayerische Ministerpräsident Edmund Stoiber einmal gesagt haben, »wir müssen den Ausländern richtiges Deutsch lernen«. Diese Aussage hat seinerzeit viele Menschen stutzig gemacht, und einige meinten, vielleicht solle man erst einmal die Politiker in unserem Lande richtiges Deutsch lehren. Jemanden etwas lehren (nicht lernen) wird im Allgemeinen mit dem doppelten Akkusativ gebraucht: einen Menschen (wen = Akkusativ der Person) das Fürchten (was = Akkusativ der Sache) lehren.

Das war in früheren Jahrhunderten auch mal anders, da konnte der Meister seinem Lehrling auch im Dativ das Handwerk lehren, aber heute wird der Dativ im Zusammenhang mit dem Wort »lehren« überwiegend als falsch empfunden. Diese schmerzliche Erkenntnis musste auch jene Werbeagentur machen, die im Januar 2004 den amerikanischen Spielfilm »Mona Lisas Lächeln« auf dem deutschen Markt anpries. »In einer Welt, die ihnen vorschrieb, wie man lebt, lehrte sie ihnen, wie man denkt.« So stand es auf Tausenden von Kinoplakaten zu lesen. Und auf den Gesichtern Tausender Kinobesucher bildeten sich große Fragezeichen: Ist das richtig so?

Als der Film einige Zeit später als DVD herauskam, war auf der Hülle der Satz in leicht abgewandelter Form zu lesen. »In einer Welt, die ihnen vorschrieb, wie man lebt, lehrte sie sie, wie man denkt«, hieß es nun. Es geschehen doch noch Zeichen und Wunder. Man soll die Hoffnung nicht aufgeben, auch nicht in Bezug auf die Werbung. Vielleicht verfällt eine pfiffige Agentur eines Tages auf die Idee, einen Konkurrenten der Auskunftsfirma Telegate mit dem Ausspruch zu bewerben: »Hier wird Ihnen wirklich geholfen!« Das wäre doch ein Knüller! Ein hoher Aufmerksamkeitsbonus wäre garantiert, und im (grammatischen) Vergleich stünde Telegate als Dummchen da.

Bei meinem Besuch in Aachen kam mir ein weiteres amüsantes Beispiel zu Ohren. Eine Aachenerin berichtete mir von einem persönlichen Erlebnis in einer Modeboutique. Sie wollte einen Bademantel kaufen, den sie im Schaufenster gesehen hatte. »Das ist ein Markenartikel«, sagte ihr die Verkäuferin und tat dabei etwas wichtiger, als es dem Anlass gebührte, denn der Bademantel war immerhin herabgesetzt. Und erklärend setzte sie nach: »Das ist von Tschiwentschi, aber das wird Sie nichts sagen.«

Dass sich der Name Givenchy dabei eher nach Tschiwabtschitschi anhörte als nach einem französischen Designer, war schon komisch genug. Der falsche Kasus aber setzte dem Ganzen die Krone auf. »Das Verb ›sagen‹ wird mit dem Dativ gebraucht, aber das wird Ihnen nichts sagen«, hätte die Aachenerin erwidern können. Aber dazu war sie zu höflich. Nicht jeder kann wissen, wie's richtig gehört, aber einige wissen zum Glück noch, *was* sich gehört. Janz besonders der Aachener (Öcher, wie er sich selbst nennt), »der kennt sich mit so was!«

Der gekaufte Schneid

Frage eines Lesers aus Erlangen: Woher kommt die Redewendung »jemandem den Schneid abkaufen«? Und was genau bedeutet sie? Meine Internet-Recherche ergab bisher leider nichts. Können Sie mir helfen?

Antwort des Zwiebelfischs: Zunächst einmal sei gesagt, dass »jemandem den Schneid abkaufen« nichts mit einem Geschäft zu tun hat, auch wenn es sich danach anhört. »Abkaufen« ist hier eine schönfärberische Umschreibung für »rauben«, »wegnehmen«. Das Wort »Schneid« ist ein alter Ausdruck für Mut, Tatkraft und war im 19. Jahrhundert vor allem in der Soldatensprache anzutreffen. Wer Schneid hat, der besitzt Mut. Schneid und das davon abgeleitete Adjektiv »schneidig« sind verwandt mit der Schneide (eines Messers); denn wer kräftig und forsch daherkommt, der ist *scharf wie eine Schneide*. Wem der Schneid geraubt wird, dem wird der Mut genommen. Jemandem den Schneid abkaufen bedeutet daher heute noch *jemanden mutlos machen, einschüchtern*.

Die Sauna ist angeschalten!

Es gibt Dinge, die gibt's einfach nicht. Zum Beispiel Verbformen, die völlig sonderbar klingen. Man meint, sich verhört zu haben, und muss erkennen: Man hat richtig gehört! Da ist von Kindern die Rede, die genascht haben, und von Häusern, die angemalen worden sind. Unsere Sprache wird täglich neu gestalten.

Ich wollte es ja erst nicht wahrhaben: Da schrieb mir ein verzweifelter Leser und flehte mich auf Knien an, ich möge doch dringend mal etwas über die korrekte Bildung des Perfektpartizips von »schalten« schreiben. Immer häufiger höre er Menschen sagen, ein Gerät sei »ausgeschalten« oder ein Motor »eingeschalten«. Dabei heiße es doch »ausgeschaltet« und »eingeschaltet«! Wie sei es möglich, lamentierte der Leser, dass hier plötzlich falsche Formen auftauchen, die dann auch noch eine so rasante Verbreitung finden?

Ich habe die Anfrage, wie ich es mit allen Zuschriften mache, ausgedruckt und abgeheftet, und zwar unter dem Stichwort »Perfekt, pervertiertes«. Eine interessante Beobachtung, dachte ich mir, aber doch wohl eher eine kuriose Ausnahmeerscheinung. Da ich selbst bis zu diesem Zeitpunkt noch nie gehört hatte, dass jemand »geschalten« statt »geschaltet« sagt, sah ich keinen dringenden Handlungsbedarf. Bis ich Anfang des Jahres in den Urlaub nach Südtirol reiste, um mich ein paar Tage in einem sogenannten Wellness-Hotel zu erholen. Auf meine Frage, ob man die Sauna schon benutzen könne, erwiderte die Empfangsdame an der Therme in tadellosem Hochdeutsch und mit einem bezaubernden Lächeln: »Aber selbstverständlich, die Sauna ist angeschalten!« Ich war wie vom Donner gerührt.

Zitternd gab ich die Perfektform »geschalten« in Google ein. Ich wollte doch mal sehen, wie es tatsächlich um die

Verbreitung dieses absonderlichen Partizips steht. Und tatsächlich: 66 000 Fundstellen! Da konnte es wenig trösten, dass über der Trefferliste die automatisch erstellte Korrekturanfrage erschien: »Meinten Sie ›geschaltet‹?«

Wenn Fernsehkonsumenten sich plötzlich fragen, ob irgendjemand »das Programm umgeschalten hat«, und wenn immer neue Parks und Einkaufszentren von namhaften Architekten »gestalten« werden, so liegt dies möglicherweise an der Ähnlichkeit der Verben »schalten« und »gestalten« mit dem Verb »halten«. Letzteres wird im Perfekt bekanntlich zu »hat gehalten« und nicht zu »hat gehaltet«. Aber bei »halten« handelt es sich um ein unregelmäßiges Verb, das im Präteritum seinen Hauptklang verändert: Aus »halt« wird »hielt«. Schalten hingegen ist ein regelmäßiges Verb, das seinen Hauptklang behält. Und weil es im Präteritum nicht zu »schielt« wird, wird es im Perfekt auch nicht zu »geschalten«, sondern zu »geschaltet«. Eigentlich ganz einfach.

Im buchstäblichen Sinne *gespalten* sind die Meinungen über die korrekte Bildung des Perfektpartizips von »spalten«. Obwohl es sich – auf den ersten Blick – um ein regelmäßiges Verb zu handeln scheint (ich spalte, ich spaltete, nicht etwa: *ich spielt* oder gar *ich spolt*), existiert die Perfektform »gespalten«. »Gespaltet« gibt es gleichwohl, doch das ist inzwischen viel seltener zu hören: »Ich habe das Holz gespaltet«; »Die einen hatten sich von den anderen abgespaltet.« Gerade als Adjektiv verwendet man fast ausschließlich die Form »gespalten«: »Wir haben ein gespaltenes Verhältnis«; »Der weiße Mann spricht mit gespaltener Zunge.« Offenbar gibt es nicht nur regelmäßige und unregelmäßige Verben, sondern auch noch regelmäßig-unregelmäßige Verben. Nun ja, warum auch nicht: Sprache ist wie Botanik. Es gibt wunderschöne Blüten und jede Menge Unkraut. Und ab und zu zwittert es halt im deutschen Verbenwald.

Meine Recherchen ergaben, dass die ungewöhnlichen

Formen »ausgeschalten« und »eingeschalten« für bestimmte Regionen durchaus typisch sind. Weite Teile des deutschsprachigen Südens gehören dazu, über Österreich bis Südtirol. Die freundliche Dame in dem Südtiroler Hotel hatte demnach keinen grammatischen Blackout, so wie man es von Viva-Moderatoren gewohnt ist, sondern benutzte ein regionaltypisches Partizip.

In einigen Gegenden soll man angeblich auch statt »Wir haben gebadet« sagen können: »Wir haben gebaden.« Im Badischen zum Beispiel. Nun, das ist ja auch nicht verwunderlich. Wer aus Baden-Baden kommt, dem kommt das »gebaden« ganz automatisch über die Lippen. Wollte man ihn korrigieren, könnte er womöglich erwidern: »Wieso? Ich wohn doch schließlich net in Badet-Badet!«

Und im Aachener Dom werden die Hände zum Gebet nicht nur gefaltet, sondern auch »gefalten«. Auch in Sachsen sind Formen wie »gemalen« und »gebaden« bekannt. Ich müsste mal meine Freundin Moni fragen. Die wohnt in Chemnitz und spricht Sächsisch erster Güte. Moni würde vermutlich sagen: »Mir ham gebaden.«

Bei Moni lasse ich das selbstverständlich durchgehen, denn Sächsisch ist nun mal Sächsisch, und das ist nicht ganz dasselbe wie Hochdeutsch. Man findet die Form »gebaden« aber auch in hochdeutschen Zusammenhängen, in Internetforen zum Beispiel. Da fragt ein gewisser Michael, ob Meerschweinchen eigentlich schwimmen können, und eine Melanie antwortet ihm: »Nein, Meerschweinchen dürfen nicht gebaden werden, die können sich eine Lungenentzündung holen und eine Erkältung!«

Die Perfektform »gebaden« würde freilich voraussetzen, dass »baden« zur Gruppe der sogenannten starken, besser gesagt: unregelmäßigen Verben zählt. So wie »laden«, das im Präteritum zu »lud« wurde und dann im Perfekt zu »geladen«. Aber »baden« wird im Präteritum nicht zu »bud«, sondern zu »badete«, wird also ganz regelmäßig gebildet – und muss im Perfekt daher auch »gebadet« heißen. Melanies Antwort war also grammatisch nicht ganz einwandfrei, trotzdem sei ihr von Herzen gedankt, denn vermutlich hat sie damit mehreren Meerschweinchen das Leben gerettet.

Sehr ans Herz zu legen ist in diesem Zusammenhang die Internetseite der »Gesellschaft zur Stärkung der Verben«, auf der sich eine drollige Liste mit (wohlgemerkt!) ausgedachten Ableitungen befindet. Die Grundannahme lautet: Was wäre, wenn es im Deutschen nur starke (also unregelmäßige) Verben gäbe? Wie hörte sich das an? Und so tummeln sich auf der Liste so herrliche Formen wie »bescheren, beschor, beschoren«, »herrschen, harrsch, gehorrschen« und »schimpfen, schampf, geschompfen«. Mein Favorit ist »faulenzen«, das im Präteritum zu »lonz faul« und im Perfekt zu »faulgelonzen« wird.

Unsere Sprache hat bekanntermaßen kein in Beton gegossenes, unveränderliches Fundament. Vielmehr gleicht sie einem Sumpf, einem Treibsand oder einem mit Tiefen und Untiefen gesegneten See, der von einer Eisschicht bedeckt ist, die wir »Standarddeutsch« nennen. Wie dünn diese Eisschicht ist, erfuhr ich erst kürzlich wieder, als ich mit einem alten Bekannten telefonierte. Auf meine harmlose Frage »Und, wie läuft's so bei euch beiden?« antwortete er: »Danke, kann nicht klagen, wir sind ganz gut ins neue Jahr *gestarten*!« Nachdem ich aufgelegt hatte, setzte ich mich an meinen Schreibtisch. Was tat ich dann? Ach ja, ich habe den Monitor eingeschalten und den Computer gestarten, um eine Geschichte zu schreiben über seltsame Arten und noch seltsamere Unarten des Perfekts.

Regelmäßige und unregelmäßige Verben auf -alten/-elten

Infinitiv	Präteritum	Perfekt
erkalten	die Lava erkaltete	die Lava ist erkaltet
falten	ich faltete	ich habe gefaltet
gestalten	ich gestaltete	ich habe gestaltet
schalten	ich schaltete	ich habe geschaltet
verwalten	ich verwaltete	ich habe verwaltet
zelten	wir zelteten	wir haben gezeltet
spalten	ich spaltete	ich habe gespaltet/ gespalten
gelten	das galt	das hat gegolten
halten	ich hielt	ich habe gehalten
schelten	ich schalt	ich habe gescholten

Zum Eingefrieren ungeeignet?

Frage einer Leserin aus Hannover: Mein Sohn ist heute mit einem Diktat nach Hause gekommen, in dem unter anderem der folgende Satz enthalten war: »… das zum Eingefrieren verwendet werden kann.« Google kennt ca. 2000 Einträge für »eingefrieren«, aber korrigiert mich: *Meinten Sie: »einfrieren«?* Bitte helfen Sie mir, ich wüsste gerne, ob die Lehrerin einen Fehler gemacht hat!

Antwort des Zwiebelfischs: Wenn man darüber nachdenkt, was alles einfrieren kann und was sich alles einfrieren lässt, so stellt man fest, dass es eine grundsätzliche Unterscheidung zu treffen gilt zwischen der intransitiven und der transitiven Form des Wortes »einfrieren«. Im ersten Fall friert etwas selbst ein (zum Beispiel eine Wasserleitung), im zweiten Fall wird etwas eingefroren – Fleisch oder Gemüse zum Beispiel oder diplomatische Beziehungen.

In dem zitierten Diktat ging es offenbar um die zweite Form – bei der Dinge wörtlich oder im übertragenen Sinne »auf Eis gelegt« werden. Der Duden kennt für diesen Vorgang sowohl »einfrieren« als auch »eingefrieren«, wobei er die zweite Form als Nebenform der ersten ausweist. Ich selbst kenne in diesem Zusammenhang nur den Ausdruck »einfrieren«. Aber das muss nichts heißen. Ich bin ein Nordlicht, und als solches lasse ich mich immer wieder gern überraschen von den vielfältigen Variationen, die der Süden zu bieten hat.

So ist im Badischen und im Schwäbischen das Wort »eigfriere« (also »eingefrieren«) gebräuchlich, wenn's ums Tiefkühlen von Lebensmitteln geht – im Unterschied zum »Eifriere« (Einfrieren) der Zehen oder Finger an kalten Tagen. In der Pfalz sagt man entsprechend »oigfriere«, und in Bayern »eing'frian«. Im süddeutschen Raum ist übrigens auch das kuriose Wort »aufgefrieren« bekannt – in der Bedeutung »auftauen«.

Zwar spricht man allgemein von »Gefrierschrank« und »Gefrierbeuteln« – es käme wohl niemand auf die Idee, »Frierschrank« oder »Frierbeutel« zu sagen. Die gängige Verbform im Hochdeutschen lautet indes »einfrieren«.

Weil das ist ein Nebensatz

Sprache ist ständig neuen Moden unterworfen. Manches verschwindet nach einiger Zeit wieder – manches aber hält sich und wird irgendwann sogar amtlich. Einer der größten »Hits«, den die Umgangssprache je hervorgebracht hat, ist die Abschaffung des Nebensatzes hinter Bindewörtern wie »weil« und »obwohl«. Eine grammatische Revolution – oder bloß grober Unfug?

Freitagabend. Ich treffe mich mit Freunden im Lokal, um das Wochenende einzuläuten. Philipp und Maren sind da, und schließlich stößt auch Henry noch dazu. »Habt ihr schon bestellt?«, fragt er. »Nein, haben wir noch nicht«, sagt Philipp, »weil wir haben auf dich gewartet!«

»Das ist nett«, sagt Henry, »aber kein Grund, die Inversion zu vernachlässigen. Weil: Ich kann's wirklich nicht mehr hören!« Philipp zuckt die Schultern: »Ich kenne nur die Invasion in der Normandie, aber das hat hiermit vermutlich nichts zu tun – obwohl ... bei dir kann man das ja nie so genau wissen.« Henry seufzt und vertieft sich in die Speisekarte. Maren ist neugierig geworden: »Was meinst du denn mit Invasion?« – »Ich meine nicht Invasion, sondern Inversion«, stellt Henry richtig. »Inversion bedeutet Umkehrung oder Gegenstellung. Beim Hauptsatz steht das Prädikat normalerweise in der Mitte, also hinter dem Subjekt und vor dem Objekt. In der Frage wandert das Prädikat an den Satzanfang, beim Nebensatz wandert es nach hinten.«

»Will noch jemand Wasser?«, frage ich und halte die Sprudelflasche in die Luft. »Siehst du«, sagt Henry zu Maren, »das war jetzt gerade eine typische Inversion von Subjekt und Prädikat im Fragesatz. Aus ›Jemand will noch‹ wird ›Will noch jemand‹. Anhand dieser Umstellung kann jeder erkennen, dass es sich um eine Frage handelt. Man braucht am Ende nicht mal die Stimme zu heben.« – »Schon klar«, sagt Philipp, »da erzählst du mir nichts Neues ... obwohl so genau hätte ich das jetzt nicht erklären können.« – »Und in Nebensätzen gibt es auch so eine ... Inversion?«, fragt Maren. »Normalerweise ja«, sagt Henry. »Steht in dem Hauptsatz ›Wir sitzen im Kino‹ das Prädikat noch an zweiter Stelle, nimmt es im Nebensatz ›während wir im Kino sitzen‹ die Schlussposition ein. So sieht es unsere Grammatik vor. In letzter Zeit aber wird immer häufiger auf die Inversion verzichtet. Statt hinter ›weil‹, ›obwohl‹ und ›wobei‹ einen Nebensatz zu bilden, fangen viele einfach einen neuen Hauptsatz an.«

»Und ist das falsch oder bloß eine neue Entwicklung?«, will Maren wissen. »Sowohl als auch«, antwortet Henry, »es ist eine neue Entwicklung, die mit den Regeln der Grammatik bricht. Und wenn sie sich weiter so ungehemmt ausbreitet, steht zu befürchten, dass sich die Grammatikwerke dem irgendwann anpassen und die Einleitung von Hauptsätzen mit ›weil‹ und ›obwohl‹ als zulässig erklären. Ich persönlich achte darauf, dass ich hinter ›weil‹ einen Nebensatz bilde, also das Prädikat ans Ende setze. Und seit ich darauf achte, fällt mir ständig auf, wie viele andere es offenbar nicht tun!« – »Woher kommt das denn?«, fragt Maren weiter. »Der Hauptgrund dürfte in der Bequemlichkeit liegen«, meint Henry. »Es ist einfacher, einen Hauptsatz zu konstruieren als einen Nebensatz. Wie oft fängt man beim Sprechen einen Satz an, ohne genau zu wissen, wie er enden wird. Ehe man sich's versieht, hat man das Wort ›weil‹ ausgesprochen und befindet sich mitten in einem abhängigen Kausalsatz. Man denkt: ›Ups, wie komme ich da bloß wieder raus?‹, und rettet sich, indem man kurz Luft holt und dann mit einem neuen Hauptsatz beginnt. So als hätte man nicht ›weil‹ gesagt, sondern ›denn‹. Denn die Konjunktion ›denn‹ gehört zur Gruppe der sogenannten ›koordinierenden Konjunktionen‹, das sind Wörter, die Hauptsätze miteinander verbinden. So wie ›und‹, ›oder‹, ›aber‹ und ›sondern‹. ›Weil‹ hingegen gehört zur Gruppe der ›subordinierenden Konjunktionen‹, die Nebensätze einleiten. Und in Nebensätzen steht das Prädikat nun mal am Ende. Das ist für manch einen offenbar zu kompliziert. Heute Morgen hörte ich im Radio den Satz: ›Ziehen Sie sich warm an, weil heute wird es noch kälter.‹ Ein Nebensatz aus sechs Wörtern, das ist doch eine überschaubare Angelegenheit, und trotzdem war der Sprecher mit der korrekten Platzierung des Prädikats überfordert.«

»Fest steht doch«, sagt Philipp, »dass Sprache sich entwickelt und Strukturen sich verändern können. Wenn die Mehrheit findet, dass es praktisch ist, hinter ›weil‹ einen neuen Hauptsatz zu beginnen, warum sollte man das dann nicht akzeptieren?« – »Ich habe ja auch nie behauptet, dass ich gegen Wandel in der Sprache sei«, stellt Henry klar. »Ich trete lediglich für einen bewussten Umgang mit der Sprache ein. Und ich bin absolut dafür, die Möglichkeiten der Sprache voll auszuschöpfen – dort, wo es sinnvoll ist.« Ich pflichte Henry bei: »Gerade beim Satzbau lässt übrigens die deutsche Sprache sehr viel mehr Gestaltungsmöglichkeiten zu als beispielsweise das Englische. Dort werden Sätze nach der immer gültigen Formel ›SPO‹ zusammengebaut.« Philipp grinst und sagt: »Die Sozialdemokraten haben wirklich überall ihre Finger im Spiel – sogar in der Grammatik!« – »SPO steht für Subjekt, Prädikat und Objekt – die drei Hauptbestandteile des Satzbaus. Auch im Deutschen werden die meisten Sätze nach dem SPO-Schema gebaut, doch das ist nicht zwingend. Es geht auch anders. Statt ›Ich vertrage Paprika nicht‹ kann man auch sagen: ›Paprika vertrage ich nicht.‹ Das Subjekt kann ohne weiteres seinen Platz mit dem Objekt tauschen. Im Englischen geht das nicht, da steht das Subjekt immer vor dem Prädikat, sowohl im Hauptsatz als auch im Nebensatz.« – »Vergiss nicht Yoda aus ›Krieg der

Sterne‹!«, wirft Henry ein. »Bei dem stand das Objekt immer am Satzanfang: ›Auf die Macht zu hören du erst lernen musst!‹«

»Dann handelt es sich womöglich um einen Anglizismus«, mutmaßt Maren, »wir übernehmen doch ständig Dinge aus dem Englischen. Vielleicht ist diese Verdrehung hinter ›weil‹ ja auch so eine Übernahme. Kennst du den Song ›Because you loved me‹? Der heißt ja nicht ›Because you me loved‹.« – »Und wie würdest du diesen Titel ins Deutsche übersetzen?«, frage ich. »›Weil du mich liebtest‹ oder ›Weil du liebtest mich‹?« Maren überlegt kurz und sagt: »›Weil du mich liebtest‹. Das klingt irgendwie ... rhythmischer. Bei ›Weil du liebtest mich‹ hakt es in der Mitte.« Ich stimme Maren zu: »Sprache ist immer auch eine Frage von Melodie und Rhythmus. Es geht also nicht allein um richtig oder falsch, sondern auch um den Klang, genauer gesagt um den Wohlklang. Für meine Ohren hört es sich schöner an, wenn hinter ›weil‹ ein Nebensatz folgt. Aber das muss jeder für sich selbst entscheiden.« – »Ich sage nur: Rettet den Nebensatz!«, sagt Henry, »weil ...«, er macht eine Pause und holt tief Luft, »... es wirklich schade wäre, wenn er verloren ginge!«

»Können wir nicht mal das Thema wechseln?«, fragt Philipp, »weil das Grammatikgerede macht mich langsam müde!« Henry und Maren blicken ihn gleichermaßen strafend an. Philipp knurrt: »Also schön: weil mich das Grammatikgerede langsam müde macht!«

Das Rätsel des Steinhuder Meeres

Frage eines Lesers aus Hessen: Wieso wird das Steinhuder Meer eigentlich Steinhuder Meer genannt? Es hat doch kein Salzwasser. Und es schwimmen auch keine Wale darin. Es ist nicht mal besonders groß. Wie kommt's? Die Niedersachsen müssten doch wissen, was ein Meer ist, schließlich haben sie die Nordsee! Wie war eine solche Verwechslung nur möglich?

Antwort des Zwiebelfischs: Die Frage, warum das Steinhuder Meer Steinhuder Meer heißt, ist ganz schnell beantwortet: Weil's bei Steinhude liegt, warum wohl sonst?

Doch Scherz beiseite: Die Bezeichnung »Meer« ist im nordwestdeutschen und niederländischen Raum häufiger für stehende Gewässer anzutreffen. Bei Oldenburg gibt es das Zwischenahner Meer und bei Emden das Große Meer. Dieses Meer geht zurück auf das mittelniederdeutsche Wort *mere*, das Binnenseen bezeichnete. Im Niederländischen wimmelt es noch heute von Meeren, denn was bei uns ein See ist, das ist in Holland »een meer«. Dafür spricht man im Niederländischen von »de zee«, wenn wir vom »Meer« sprechen.

So wie sich das Wort »See« in zwei Richtungen entwickelte (der See = Binnengewässer/die See = Meer), so hat auch das Wort »Meer« zwei Richtungen eingeschlagen. Dass das Meer von den Germanen als stehendes Gewässer angesehen wurde, spiegelt sich heute außerdem noch in den Wörtern Moor und Marsch, die beide mit dem Wort »Meer« verwandt sind. Auch die als Maare bekannten Kraterseen in der Schwäbischen Alb und in der Eifel (zum Beispiel Randecker Maar, Dauner Maar) gehen auf das Wort »Meer« zurück – ganz genau auf das dem Vulgärlateinischen entlehnte Wort »mara«, eine Ableitung des lateinischen Wortes »mare«.

Nach oben hinauf und von oben herunter

»Holladi-ho!«, klingt es von den Bergen hinab. Oder klingt es herab? Wie man in den Wald ruft, so schallt es hinaus. Oder schallt es heraus? Erfahren Sie am Beispiel einer nie gezeigten Folge der Kultserie »Heidi«, wie schwer sich manche Menschen mit dem Hin und Her in der deutschen Sprache tun.

Heidis Welt sind die Berge, das wissen wir alle, denn das haben uns Gitti und Erika oft genug um die Ohren gejodelt. Die beliebte japanische Zeichentrickserie hat Generationen von Fernsehzuschauern beglückt. Und so ist die Geschichte des kleinen Mädchens, das bei seinem Großvater auf der Alm aufwächst, bis heute lebendig geblieben und einem großen Publikum ans Herz gewachsen. Eine Folge allerdings bekamen wir nie zu sehen, da sie nie fertig gestellt wurde. Unsere Mitarbeiter haben in jahrelanger akribischer Recherchearbeit dieser unfertigen Folge nachgespürt und sie tatsächlich gefunden. Es handelt sich um die Folge 46: Clara ist bei Heidi zu Besuch, und ihre Gouvernante, das gestrenge Fräulein Rottenmeier, gibt penibel Acht, dass Clara sich nicht zu viel zumutet. Wir sind überaus glücklich, Ihnen heute exklusiv die Eingangsszene dieser nie gezeigten Folge wiedergeben zu dürfen:

Fräulein Rottenmeier: Guten Morgen, Adelheid, warum bist du denn heute schon so früh auf?
Heidi: Guten Morgen, Fräulein Rottenmeier. Der Geißenpeter und ich wollen heute mit der Clara ins Tal!
Fräulein Rottenmeier (kreischt entsetzt): Clara? Ins Tal? Das kommt überhaupt nicht in Frage! Das kann ich unmöglich erlauben! Der Weg ist viel zu gefährlich! Wie soll Clara in ihrem Rollstuhl…

Heidi: Der Peter wird die Clara tragen! Und er kennt einen sicheren Weg über die Wiesen, der ins Tal herabführt!

Fräulein Rottenmeier (streng): Es heißt *ins Tal hinab*, Adelheid!

Heidi: Herab, hinab, ist das nicht dasselbe?

Fräulein Rottenmeier: Nein, es ist nicht dasselbe. Es kommt auf die Richtung und die Perspektive an. Wenn du von hier oben nach dort unten gehst, dann gehst du – von dir aus gesehen – hinab. Wer dich unten im Tal kommen sieht, der sieht dich herabsteigen. Für dich ist es hin, für ihn ist es her.

Heidi: Gut, Fräulein Rottenmeier, ich will es mir merken!
Es klopft.

Heidi (erfreut): Oh, das wird der Geißenpeter sein!
Sie springt auf, läuft zur Tür und öffnet.

Heidi: Grüezi, Peter! Komm nur hinein!

Geißenpeter (schüchtern): Hat denn dein Besuch nichts dagegen?

Fräulein Rottenmeier: Nein, hat er nicht, Geißenpeter. Er hat nur etwas dagegen, dass unsere Adelheid die Adverbien durcheinander wirft. Adelheid, du musst zu Peter sagen: Komm herein!

Heidi: Aber haben Sie nicht eben gesagt, für mich sei es hin und für ihn her?

Fräulein Rottenmeier: Wenn du den Peter aufforderst, in unsere Stube zu treten, dann bittest du ihn herein, nicht hinein.

Geißenpeter: Also, darf ich dann jetzt herein?

Fräulein Rottenmeier: Ja, begreift ihr denn gar nichts? Du musst fragen: Darf ich hinein, denn für dich ist es hin, wenn du zu uns herkommst! Das kann doch nicht so schwer sein!

Geißenpeter (kratzt sich am Kopf): Also, ich glaub, das ist zu hoch für mich. *(Er wendet sich wieder Heidi zu)* Wo ist die Clara? Will sie nicht mit uns kommen?

Fräulein Rottenmeier (bestimmt): Clara wird nirgendwohin mitkommen. Sie ist viel zu schwach. Eine derartige Anstrengung würde ihr nur schaden.

Geißenpeter: Dann gehen wir halt allein! Wir können ihr ja etwas aus dem Dorf mitbringen!

Heidi (zu Fräulein Rottenmeier): Sollen wir für Sie und für Clara etwas aus dem Dorf mit hinaufbringen?

Fräulein Rottenmeier: Du meinst, ob du uns etwas mit heraufbringen kannst, Adelheid! *(Zu sich selbst gesprochen)* Ich habe ja sofort erkannt, dass dieses Kind kein Umgang für unsere Clara ist. Es hat den Verstand einer Berggeiß!

Heidi: Wieso heißt es nun auf einmal wieder herauf? Ich dachte, aus meiner Sicht...

Fräulein Rottenmeier: Du sollst nicht denken, sondern zuhören! Wenn du für Clara und mich etwas mitbringst, dann bringst du es zu uns herauf, nicht hinauf.

In diesem Moment betritt der Großvater die Stube.

Alm-Öhi: Guten Morgen! Was macht denn der Peter so früh schon hier?

Heidi: Guten Morgen, Großvater! Peter und ich wollten heute mit der Clara ins Tal, aber Fräulein Rottenmeier ist dagegen. Sie sagt, es wäre zu anstrengend für Clara. Obwohl der Peter sie doch tragen will.

Alm-Öhi: Was, der Peter will Fräulein Rottenmeier tragen?

Heidi (lacht): Nein, nicht Fräulein Rottenmeier, sondern Clara!

Alm-Öhi: Herab mag's vielleicht noch gehen, aber habt ihr euch auch überlegt, wie ihr wieder hinaufkommen wollt? Bergan trägt es sich viel schwerer!

Fräulein Rottenmeier (schrill): Hinab, wenn ich bitten dürfte! Und herauf! Also von Ihnen hat die Adelheid das! Nun, das hätte ich mir ja gleich denken können!

An dieser Stelle tritt Clara durch die Tür. Alle starren sie wie vom Donner gerührt an.

Heidi: Clara! Du kannst ja auf einmal wieder gehen! Wie ist das nur möglich?

Alm-Öhi: Ein Wunder ist geschehen!

Geißenpeter: Prima! Dann können wir ja doch noch alle ins Tal her... äh ... hin... also, nach unten ins Tal gehen!

Fräulein Rottenmeier: Das verstehe ich nicht! Clara sollte doch erst in Folge 51 wieder laufen können. Warum hält sich denn hier niemand ans Drehbuch? Und warum bin ich immer die Einzige, die fehlerfreies Deutsch spricht?

In diesem Moment löst sich ein Balken aus der Studiodekoration.

Heidi: Vorsicht, Fräulein Rottenmeier, der Balken dort fällt gleich hinab!

Fräulein Rottenmeier: Adelheid! Hast du es denn immer noch nicht begriffen? Nur wenn etwas von dir aus gesehen nach unten fällt, dann fällt es *hinab*. Wenn aber etwas von oben auf dich fällt, dann fällt es ...

Der Balken fällt herunter, trifft Fräulein Rottenmeier und wirft sie zu Boden.

Fräulein Rottenmeier (stöhnend): ... auf mich herab!

An dieser Stelle bricht die Aufzeichnung ab. Aufgrund des chaotischen Drehverlaufs und vielleicht auch wegen der allzu nervenden Besserwisserei Fräulein Rottenmeiers wanderte die Folge unvollendet und ungezeigt ins Archiv. Die Zuschauer sahen stattdessen eine Folge, in der Heidi, Clara und Peter einen glücklichen Tag auf der Almwiese verbringen. Dabei geht es um Freundschaft und Mut, um Vertrauen und die Überwindung von Angst, aber um Adverbien geht es nicht.

Und dies entspricht auch der Wirklichkeit, denn die Unterscheidung zwischen »hin« und »her« wird selten so genau genommen wie in der oben zitierten Zeichentrickepisode. Im wahren Leben spielt der Unterschied oft keine Rolle mehr.

Dabei hat Claras Gouvernante (so unangenehm sie uns auch erscheinen mag) prinzipiell Recht. »Her« kennzeichnet die Richtung auf den Sprecher zu, »hin« markiert die Richtung vom Sprecher weg. So erklärt es auch der Duden. Darum heißt es auch »Komm her zu mir!« und nicht »Komm hin zu mir!« und entsprechend »Geh zu ihm hin« und nicht »Geh zu ihm her!«

Der Vogel, der aus dem Nest gestoßen wird, fällt – vom Nest aus gesehen – aus dem Nest heraus. Aus Sicht des Igels unten im Gras fällt der Vogel aus dem Nest heraus. Sofern Igel derlei Vorgängen in der Natur überhaupt Beachtung schenken.

Der Vogel selbst denkt während des Falles: »Ach du Schreck, jetzt bin ich hinausgefallen«, und nachdem er unten im Gras gelandet ist, kann er dem Igel berichten, er sei aus dem Nest herausgefallen. Es kommt also auf die Richtung an – und auf den Blickwinkel.

Dies gilt allerdings nicht für Verben, die im übertragenen Sinn gebraucht werden. Sie werden durchgehend mit »her« gebildet: über jemanden herfallen, auf jemanden hereinfallen, für etwas herhalten, etwas herunterspielen.

In der norddeutschen Umgangssprache entfällt die Unterscheidung zwischen »hin« und »her« komplett, da gibt es nur noch »her-«, und das auch nur in verkürzter Form: »Komm doch mal rüber« (= herüber), »Lass uns reingehen!« (= hineingehen), »Bleib, wo du bist, Liebling, ich komme runter!« (= herunter), »Da geht's in den Keller runter!« (= hinunter).

In Süddeutschland hingegen wird die Unterscheidung zwischen »hin« und »her« selbst in der verkürzten Form der Umgangssprache noch vorgenommen: Die Nachbarsleute kommen *rüber* (= herüber), aber man geht zu ihnen *'nüber* (= hinüber), der Wanderer kommt zu uns *rauf* (= herauf), und er steigt den Berg *'nauf* (= hinauf).

Jawohl, ihr lieben Preiß'n, da staunt ihr, ausgerechnet die

Bayern zeigen euch hier, wo's sprachlich langgeht. Genauer gesagt: wo's 'naufgeht und wo's runtergeht mit den Adverbien. Die Bayern und die Österreicher kennen übrigens auch noch die Wörter »herunten«, »heroben«, »herinnen« und »heraußen«, die allerdings nichts mit den hier beschriebenen richtungweisenden Adverbien zu tun haben. Das »her« steht in diesen Fällen für »hier«, »herunten« ist also eine verkürzte Form für »hier unten«.

Wer nun immer noch nicht weiß, ob Rapunzel ihr Haar hinunter- oder heruntergelassen hat, der braucht sich nicht zu grämen. Es gibt Schlimmeres! Und wer sich nicht den Kopf darüber zerbrechen will, ob er den Hammer *hinaufreichen* soll, wenn er gebeten wird, ihn *heraufzureichen*, der reiche ihn einfach nach oben.

hin	her
Es zog ihn zu ihr **hin**.	Sie zog ihn zu sich **her**.
Ich ziehe demnächst von hier dort**hin**.	Ich ziehe demnächst von dort hier**her**.
Peter geht in den Garten **hin**aus.	Peter kommt aus dem Haus **her**aus.
Heidi geht ins Haus **hin**ein.	Heidi kommt von draußen **her**ein.
Großvater sieht zum Fenster **hin**aus.	Man sieht Großvater zum Fenster **her**ausschauen.
Peter treibt die Ziegen von der Alm ins Tal **hin**ab.	Die Leute im Dorf sehen Peter mit den Ziegen ins Tal **her**abkommen.
Heidi steigt die Leiter zum Großvater **hin**auf.	Heidi kommt die Leiter zum Großvater **her**auf.
Rapunzel lässt ihr Haar (zum Prinzen) **hin**unter.	Rapunzel, lass dein Haar (zu mir) **her**unter!
Petrus lässt es auf die Erde **hin**abregnen.	Es regnet auf uns **her**nieder.
Er ging zum Nachbarn **hin**über.	Sie kam vom Nachbarn **her**über.

Von solchen und anderen Sanktionen

Frage eines Lesers: Der Begriff »Sanktion« wird, so scheint es mir, für zwei sich widersprechende Tatbestände verwendet: einerseits im Sinne von Bestrafung und andererseits im Sinne von Erlaubnis. Könnten Sie da mal etwas Licht ins Dunkel bringen und erklären, wie es zu so einer doppelten Bedeutung kommt?

Antwort des Zwiebelfischs: Das Fremdwort Sanktion, im 18. Jahrhundert aus dem französischen Wort *sanction* entlehnt, welches wiederum auf das lateinische *sanctio* zurückgeht, hat die Bedeutung »Billigung, Bestätigung, Erteilung der Gesetzeskraft«. Dass darin das Wort *sanctum* (= heilig) anklingt, ist kein Zufall: Früher galten Gesetze oft als heilig – oder sollten zumindest als heilig angesehen werden. Mit einer Sanktion hat man es also immer dann zu tun, wenn eine Autorität (König, Papst, Regierung, Parlament) etwas bestätigt, billigt, für rechtmäßig oder gar zum Gesetz erklärt.

Weil dies natürlich auch Zwangsmaßnahmen betreffen kann, hat das Wort »Sanktion« noch eine zweite Bedeutung erlangt, die im scheinbaren Widerspruch zur ersten steht. Aus der Billigung wurde die Bestrafung. Meistens wird es dann im Plural gebraucht. Man unterscheidet zwischen Sanktionen zur Bestrafung eines Staates und allgemeinen Sanktionen gegen ein bestimmtes Verhalten:

Kriegslüsterne Politiker fordern militärische Sanktionen gegen Schurkenstaaten; die Uno verhängt wirtschaftliche Sanktionen über ein Land; ein Unternehmen beschließt eine Reihe von Sanktionen, um einen Streik zu brechen; überall auf der Welt müssen Raucher mit immer drastischeren Sanktionen rechnen.

Das Verb »sanktionieren« wird überwiegend in der ersten Bedeutung, also als »billigen, gutheißen, zum Gesetz erklären«, gebraucht. Wenn die USA Sanktionen über Kuba verhängen, heißt das nicht, dass sie Fidel Castros politischen Kurs sanktionieren – im Gegenteil.

Was vom Apfel übrig blieb

Die Vielseitigkeit unserer Sprache offenbart sich ganz besonders bei allem, was essbar ist. Und manchmal auch bei dem, was vom Essen übrig bleibt. Für einen abgenagten Apfel zum Beispiel, den man normalerweise achtlos wegwirft, hat das Deutsche mehr Begriffe, als es Automodelle auf unseren Straßen oder Zeitschriftentitel am Kiosk gibt. Lassen Sie sich in ein exotisches Randgebiet der Sprachforschung entführen und staunen Sie über die unerhörte Vielzahl von Wörtern für ein kleines Stückchen Biomüll.

Die deutsche Sprache steckt voller Wunder und Geheimnisse. Für manche Dinge oder Zustände hat sie kein Wort parat, so wie für das Gegenteil von »durstig« zum Beispiel. Immer wieder fragen sich Menschen, ob es denn kein Pendant zu »satt« gebe. Viel ist darüber bereits geschrieben worden, mehrere Wettbewerbe wurden ausgerichtet, Dutzende, wenn nicht gar Hunderte Vorschläge wurden abgewogen – und wieder verworfen. Ein Wort für das Gegenteil von »durstig« wurde bis heute nicht gefunden. Für andere Dinge hat unsere Sprache dann wiederum mehr Wörter parat, als man sich träumen ließe. Die letzte Obsternte hatte gerade begonnen, da stellte mir ein Leser die Frage, welche regionalen Begriffe für den Rest des Apfels mir bekannt seien. Also für jenes Gebilde aus Blüte, Stengel (neudeutsch auch: Stängel), Kerngehäuse und restlichem Fruchtfleisch, das vom Verzehr des Apfels (meistens) übrig bleibt und für gewöhnlich im Müll, auf dem Komposthaufen oder irgendwo im Gebüsch landet.

Als norddeutschem Gewächs war mir selbst bis dato nur die Bezeichnung »Griebsch« bekannt. Doch schon eine interne Umfrage in der Redaktion von SPIEGEL ONLINE förderte mehrere Varianten zutage. Ein Kollege aus Stuttgart rief mir »Butzen« zu, ein Sportredakteur aus Hessen kannte das Wort »Krotze«, und einem Mitarbeiter aus dem Bildressort, einem gebürtigen Hamburger, kam spontan der Ausdruck »Knust« in den Sinn. »Das sagt man doch zum Brotkanten«, wandte ich ein. »In Hamburg sagt man das auch zum Apfel«, beteuerte er. Später wurde mir dies von anderen Hamburgern bestätigt.

Ich befand, dass die Frage eine tiefergehende Untersuchung wert sei, und rief die Leser meiner Kolumne »Zwiebelfisch« auf, mir per E-Mail ihnen bekannte regionale Begriffe für den Rest des Apfels zu schicken. Die Resonanz war überwältigend. Ein wilder Stier, der mit gesenkten Hörnern einen prallen Apfelbaum rammt, hätte nicht überraschter sein können, so prasselten die unterschiedlichsten, kuriosesten und noch nie zuvor gehörten Begriffe auf mich ein. Hunderte von E-Mails gingen in meinem elektronischen Postfach ein, es dauerte mehrere Tage, sie alle auszuwerten und auf ihren jeweiligen Kern, genauer gesagt: auf das jeweilige Kerngehäuse zu prüfen. Dabei war eine klare Tendenz festzustellen: Im Norden und im Osten dominieren die Ableitungen des Wortes Griebs, im Westen sind es Nüssel (mit weichem »s«-Laut) und Kitsche, in der Mitte Grutze und im Süden Butzen. Dazwischen aber gibt es mannigfaltige Variationen, die teils Abwandlungen der genannten Hauptformen sind, teils auf einen völlig anderen (Apfelbaum-) Stamm zurückgehen. Manche klingen putzig, andere ein bisschen eklig, was dem Charakter des Apfelrestes ja genau entspricht. Die größte Artenvielfalt in Deutschland bietet Nordrhein-Westfalen. Allein aus dem Siegerland wurden mir 17 verschiedene Begriffe gemeldet. Beeindruckend ist auch der Reichtum an Varianten, den man im Land der Schweizer finden kann. Das kann ich mir nur so erklären: Nachdem Wilhelm Tell den Apfel vom Kopf seines Sohnes geschossen hatte, stürzte ein jeder, der den Schuss mit angesehen hatte, auf den zerborstenen Apfel und nahm ein Stückchen an sich, um es zu sich nach Hause in sein Tal zu tragen und ihm einen eigenen Namen zu geben. Während sich die in Deutschland geläufigen Begriffe in männliche (der Griebsch, der Butzen, der Kitsch) und weibliche (die Kitsche, die Kröse, die Krotze) aufspalten, sind die Schweizer Varianten durchgehend sächlich (das Bütschgi, das Gräubschi).

Neben all den vielen Begriffen brachte die Erhebung auch noch die amüsante Erkenntnis mit sich, dass sich die »Zwiebelfisch«-Leser grundsätzlich in zwei Kategorien einteilen lassen: nämlich in diejenigen, die den Rest des Apfels wegwerfen, und diejenigen, die den Apfel vollständig aufessen. Viele Leser schickten mir auch gleich noch die in ihrer Region übliche Bezeichnung für die Brotrinde mit – auch für diesen Nahrungsrest scheint es eine erstaunliche Vielzahl von Begriffen zu geben. Dazu lohnt sich bestimmt einmal eine weitere Leserbefragung. Was für den Apfel gilt, gilt übrigens gleichermaßen für die Birne. Alle Bezeichnungen für den abgenagten Rest der Frucht lassen sich statt mit »Apfel« genauso mit »Birnen« zusammensetzen: Birnengriebsch, Birnenbutzen, Birnenkitsche und so weiter.

Immer wieder kam es vor, dass Leser mit Nachdruck beteuerten, die von ihnen genannte Bezeichnung sei die einzige, die in ihrer Region gebräuchlich sei, und kurz darauf traf eine weitere E-Mail aus derselben Region ein, die ein völlig anderes Wort als das einzige dort verbreitete ausgab. Mitunter wohnten die Absender nur wenige Kilometer voneinander entfernt. Daraus kann man eigentlich nur folgern: Wir sollten mehr mit unseren Nachbarn reden!

Natürlich stellte sich auch die Frage, wie denn – neben all den vielen regionalen Formen – die »offizielle« hochdeutsche Bezeichnung lautet. »Kerngehäuse« ist zweifellos ein hochdeutsches Wort, aber es bezeichnet nur das Innere der

Frucht. Griebsch/Butzen/Kitsche/Nüssel – oder wie immer man es nennen will – umfasst mehr: nämlich auch den Stengel (Stängel) und die Blüte. Die Antwort auf diese Frage lieferten die Leser gleich mit; sehr viele Zuschriften begannen nämlich mit Formulierungen wie »Bei uns sagt man zum Apfelrest auch ...« oder »Ein anderes Wort für den Apfelrest ist ...«. Zahlreiche E-Mail-Schreiber aus den unterschiedlichsten deutschsprachigen Regionen haben es intuitiv niedergeschrieben, also könnte das Wort »Apfelrest« als der gemeinsame hochdeutsche Nenner angesehen werden. Noch steht es zwar nicht im Duden, aber vielleicht findet es aufgrund dieser Untersuchung Eingang in die nächste Neuauflage.

Ich schließe mit einem Gedicht, das mir Leser Rudolf Kleinert aus Bad Reichenhall geschickt hat. Es stammt von dem Arnsberger Fritz Ottensmann, der es im Jahre 1946 bei der Abiturfeier in Wennigloh vortrug:

Adam und Eva
Sie aß vom Apfel erst das Beste,
geht mit dem Nüsel dann zum Mann
und dreht die kümmerlichen Reste
noch voller List dem Adam an.
Doch wo wären wir Männer heut ohne diese?
Nach der Bibel zu schließen im Paradiese.

In der nachstehenden Tabelle sind die Begriffe zusammengestellt, die mir die Leser zugeschickt haben. Sollten Sie eine Variante vermissen, so bitte ich um Nachsicht. Diese Auflistung erhebt keinen Anspruch auf Vollständigkeit. Die Sprachforschung zum Apfelrest ist ein unerschöpfliches Gebiet, das sicherlich ein ganzes Buch füllen könnte. Um es mit den Worten Fontanes zu sagen: »Ach, Luise, lass ... das ist ein zu weites Feld!«

Schleswig-Holstein	Apfelgriebsch, Gripsch, Grubsch, Gnatsch, Apfelknochen
Hamburg	Appelknust, Krubber, Krobber, Krubs, Krobs
Niedersachsen	
Westniedersachsen, Bremen	Apfelnürsel, Nüssel, Gnütschen, Kautz, Kabutz, Stummel, Hüske, Bolle
Ostniedersachsen (Lüneburg)	Apfelkautz, Patsch, Stummel
Südniedersachsen (Hannover, Göttingen)	Apfelgrips, Knutsch, Pietsche(n), Gnötzel
Nordrhein-Westfalen	
Ostwestfalen	Appelnüssel, Nürsel, Hünkel, Mengel, Hunkepeil, Hunkepiel, Hünksel, Kinkel, Kröps, Strunk
Münsterland	Appelkröse, Krose, Kippe, Kitsche, Mengel
Sauerland	Appelnüssel, Nürsel, Hunkepiel, Schnüssel, Pik
Siegerland	Appelgrotze, Krotz, Maas, Marzel, Masel, Mäsel, Nesel, Nösel, Gritze, Grötz, Gröbsch, Grütz, Grebs, Gäiz, Kröps, Knost, Stronk
Bergisches Land	Appel(s)knüsel, Knürsel, Knösch
Rheinland	Appelkitsch, Kitsche, Nüssel, Nürsel, Krotz
Ruhrgebiet	Appelnüssel, Kippe, Kitsch, Kitsche, Krose, Kröse, Knössel
Niederrhein	Äppelknutsch, Keetsch
Mecklenburg-Vorpommern	Apfelgriebsch, Griebs, Gripsch, Grubsch
Berlin/Brandenburg	Apfelgriebsch, Grübsche
Sachsen-Anhalt	Appelgriebsch, Griebs, Hunkhuus, Kaue, Knabbel, Knösel, Knust, Puul, Puler, Quase, Strunk(s)
Thüringen	Apfelkrebs, Kriebs, Krüpps, Gröbs, Gröbst, Krötsch, Schnirps, Schnerps
Sachsen	Abbelgriebsch, Griebs
Hessen	
Nordhessen	Appelkrütze, Krips, Grips, Grütz, Knirbitz, Kriwwitz
Südhessen	Äbbelgrotze, Abbelkrotze

Rheinland-Pfalz

Westerwald	Äbbelkrützjer
Trier	Apelbatz, Batzen, Krutz
Pfalz	Abbelgrutze, Grutz, Grotze, Grotz, Krutze, Krutz
Saarland	Abbelkrutz, Grutz, Gripsch, Gnutze

Baden-Württemberg

Badisches Land	Epfelbutzen, Butze, Butzge, Grutze
Schwaben	Eppelbutze

Bayern

Oberfranken	Apfelgrübs, Griebs
Mittelfranken	Apfelbutzen
Oberpfalz	Apfegruzl
Oberbayern	Apfebutzn

Schweiz

Basel	Bätzgi, Bätzi, Bütschgi, Ürbsi
Zürich/St. Gallen	Bütschgi, Bitschgi, Bitzgi
Bern	Bätzi, Gigertschi, Gräubschi, Gröibschi, Gürbs(ch)i, Gütschi

Liechtenstein	Öpflbotza
Österreich	Opfibitz, Butz, Putzen, Purzen
Südtirol	Apfelprobscht
Ostpreußen	Apfelgriepsch, Krunsch
Schlesien	Äppelgriebsch, Gryzek (dt.-poln.)
Sudetenland	Äpplgrieabes

Fünf Wörter auf -nf

Frage eines Lesers: Seit einigen Jahren hält sich in meinem Bekanntenkreis das Gerücht, dass es in der deutschen Sprache genau fünf Wörter gibt, die auf -nf enden. Senf, Hanf, fünf – und die Stadt Genf. Unglücklicherweise kennt niemand, den wir bisher gefragt haben, das fünfte Wort auf -nf. Können Sie mir sagen, wie dieses ominöse Wort heißt, falls es denn überhaupt existiert?

Antwort des Zwiebelfischs: Diese Frage wurde mir schon mehrfach gestellt. Seltsam. Niemand interessiert sich für Wörter, die auf -sk oder -mp enden. Alle beschäftigt nur das Mysterium der Endung -nf. Es scheint wie die Suche nach dem heiligen Granf.

Die Antwort auf die Frage, wie viele Wörter es im Deutschen gibt, die auf -nf enden, schwankt zwischen drei und unendlich. Im engeren, strengeren »Wort«-Sinne gibt es zunächst drei: Hanf, Senf, fünf.

Hinzu kommen zwei Namenswörter aus der Schweiz: die Stadt Genf und das von Ihnen mit Spannung erwartete fünfte Wort. Es lautet Sernf. Das ist der Name eines Flusses im Kanton Glarus.

Damit wäre man bei fünf. Diese fünf Wörter stehen allesamt im Wörterbuch und gelten somit als verbürgt.

Einigen ist darüber hinaus auch noch das Wort Ganf bekannt, eine Nebenform zu Ganeff, der Rotwelschvariante des jiddischen Wortes Ganove. Doch da dieses Wort zu speziell ist, findet man es nicht im Wörterbuch. Es bleibt demnach bei fünf.

Besonders pfiffige Sprachfüchse kommen auf eine sehr viel höhere Zahl. Sie behaupten, es gebe unendlich viele Wörter auf -nf! Wenn man ungläubig nachhakt, fangen sie an zu zählen: »einhundertfünf, zweihundertfünf, dreihundertfünf...«

Es gibt indes auch Gegenden in Deutschland, in denen die Buchstabenkombination »nf« völlig unbekannt ist, weil die Bewohner sich der phonetischen Umsetzung hartnäckig verweigern. Im Ruhrgebiet wird jedes »nf« wie »mpf« ausgesprochen, selbst wenn die beiden Buchstaben nur zufällig aufeinander treffen und gar nicht zum selben Wort gehören. Da heißt es dann beispielsweise: »Mampfred, gib mich ma den Sempf« oder »Watt, wie spät is? Schom pfümpf?«

Ein ums nächste Mal

Wann hätten Sie denn mal Zeit? Dieses Wochenende, das kommende, das nächste oder erst das darauf folgende? Geht's auch unter der Woche oder erst in acht Tagen? Bei der Festlegung eines Termins kommt es immer wieder zu Missverständnissen. Man kann sich eigentlich nur wundern, dass Menschen zwischen diesem und dem nächsten Mal überhaupt zueinander finden.

Ich beneide jene Menschen, die von sich behaupten, dass sie keine Schwierigkeiten hätten, sich mit anderen Menschen zu verabreden. Nicht dass ich kontaktscheu wäre. Ich denke da eher an die vielen sprachlichen Hürden, die es zu nehmen gilt, ehe ein Treffen zustande kommt. Schon die Vereinbarung eines Termins stellt – sprachlich gesehen – nicht selten ein schier unlösbares Problem dar.

Mein Freund Henry chattet. Gelegentlich, wie er sagt, nur so zum Spaß. Meistens tausche er mit interessierten jungen Damen Kochrezepte aus, behauptet er. Neulich aber hatte er eine Chat-Bekanntschaft tatsächlich so weit gebracht, dass sie sich mit ihm treffen wollte. Ein Live-Date! Damit aber fingen die Schwierigkeiten erst an. Während des Essens in unserem Stammlokal schildert Henry mir den Ablauf des Chats:

HOBBYKOCH: Wollen wir uns treffen?
KATINKA1977: Ja, sehr gerne!
HOBBYKOCH: Wann hätten Sie denn mal Zeit? Passt es Ihnen vielleicht nächstes Wochenende? Ich könnte was Leckeres für uns kochen!
KATINKA1977: Ich fahre am Samstag nach Bonn zu meiner Mutter, da werde ich nicht vor Sonntagabend zurück sein. Aber das Wochenende darauf wäre fein!
HOBBYKOCH: Das meinte ich ja auch.

KATINKA1977: Ach so. Ich dachte, Sie meinten das kommende Wochenende.

HOBBYKOCH: Dann hätte ich »dieses« Wochenende geschrieben. Das nächste kommt danach.

KATINKA1977: Für mich ist das Nächste eigentlich immer das, was mir am nächsten ist, also das, was als Nächstes drankommt…

HOBBYKOCH: Da heute bereits Mittwoch ist, können Sie davon ausgehen, dass mit dem »nächsten« Wochenende nicht das Wochenende in drei Tagen gemeint ist.

An dieser Stelle unterbreche ich Henrys Ausführungen: »Das kann ja wohl nicht wahr sein! Du bist vermutlich der einzige Mann, der selbst einen Internet-Chat noch dazu nutzt, um seinen Mitmenschen kostenlose Nachhilfe zu erteilen.« – »Warum nicht«, erwidert Henry gelassen, »du siehst doch, dass in dieser Frage ganz offensichtlich Aufklärungsbedarf bestand.« Also weiter im Text:

KATINKA1977: Aber wenn ich einem Taxifahrer sage, er soll bei der nächsten Ampel rechts abbiegen, dann meine ich damit doch nicht die Ampel nach der, die als Nächstes kommt?

HOBBYKOCH: Es kommt darauf an. Wenn Sie nur noch wenige Meter von einer Ampel entfernt sind und von der »nächsten Ampel« sprechen, dann wird das meist auf die zweite Ampel bezogen.

Mein Kommentar hierzu: »Wolltest du sie nun eigentlich treffen oder ihr die Relativitätstheorie erklären?« Henry knurrt. »Wart's ab«, sagt er, »es wird noch richtig drollig.«

KATINKA1977: Was das »Nächste« ist, ist demnach also keine Frage der Reihenfolge, sondern unterliegt der persönlichen Einschätzung? Das merke ich mir für den Supermarkt!

HOBBYKOCH: Was hat das mit dem Supermarkt zu tun?

KATINKA1977: Wenn die Verkäuferin an der Fleischtheke fragt: »Wer kommt als Nächstes?«, und es steht nur noch eine Kundin vor mir in der Reihe, dann melde ich mich, weil die vor mir ja praktisch nicht mehr mitgezählt wird.

HOBBYKOCH: Mit dieser Auslegung könnten Sie sich eventuell in Schwierigkeiten bringen.

KATINKA1977: Wieso? Ich berufe mich einfach auf Sie!

HOBBYKOCH: Hätten Sie vielleicht auch mal unter der Woche Zeit?

KATINKA1977: »Unter« der Woche? Was genau meinen Sie damit?

HOBBYKOCH: Unter der Woche ist ein Ausdruck für werktags.

KATINKA1977: Ach so! Na, bei Ihnen lerne ich ja noch was. Ich sage immer »in der Woche«.

HOBBYKOCH: »In« der Woche ist missverständlich, weil der andere denken könnte, es sei eine bestimmte Woche gemeint. »Unter« der Woche ist eindeutig.

KATINKA1977: Und was ist dann »über« der Woche? Ist damit das Wochenende gemeint?

HOBBYKOCH: Nein, den Ausdruck gibt es nicht. Mir ist er jedenfalls nicht bekannt.

KATINKA1977: Also gut, ich fürchte aber, dass ich Ihnen »unter« der Woche nicht viel bieten kann. An Zeit, meine ich.

HOBBYKOCH: Dann also doch nächstes Wochenende? Also das in acht Tagen?

KATINKA1977: In acht Tagen? Da ist doch kein Wochenende? Heute ist Mittwoch, plus acht, das ist nächste Woche Donnerstag!

HOBBYKOCH: Nein, ich meine von diesem Wochenende an gerechnet.

KATINKA1977: Da komme ich auf Montag!

HOBBYKOCH: »In acht Tagen« bedeutet dasselbe wie »in einer Woche«. Kennen Sie nicht Wum und Wendelin? Die haben immer gesagt: Einsendeschluss für den »Großen Preis« – Samstag in acht Tagen!

KATINKA1977: Der große Preis? Ich fürchte, das war vor meiner Zeit. Aber eine Woche hat doch nicht acht Tage?

HOBBYKOCH: Ich glaube, wir schauen doch besser in unsere Terminkalender und legen uns auf ein numerisches Datum fest, was meinen Sie?

KATINKA1977: Das hört sich zwar irgendwie sehr technisch an, aber vielleicht ist es wirklich das Beste.

HOBBYKOCH: Wie wäre es mit dem 23.? Passt Ihnen das?

KATINKA1977: Meinen Sie diesen Monat oder den nächsten?

Zu einem Treffen zwischen Henry und Katinka1977 ist es bis heute nicht gekommen. Wie mein Freund mir aber dann verrät, war Katinka1977 nicht die einzige junge Dame, bei der er sich um ein Rendezvous bemühte. »Aber ich chatte nicht parallel mit ihnen«, beteuert er. »Immer hübsch eine nach der Nächsten!« – »Eine nach der Nächsten?«, frage ich. »Sollte es nicht eher heißen: eine nach der anderen? Wenn du dich immer erst mit derjenigen triffst, die du nach der Nächsten ansprichst, dann kommst du ja nie zum Zuge!« – »Elender Besserwisser!«, zischt Henry. »Wer von uns ist eigentlich dran mit Zahlen?«, frage ich. »Du hast beim letzten Mal gesagt, dass du die nächsten beiden Male zahlen würdest«, sagt Henry. »Na schön«, erwidere ich, »dann kannst *du* ja *dieses* Mal noch zahlen! Herr Ober, der Herr hier würde gern die Rechnung begleichen!«

Adventslichter in der Adventzeit

Frage eines Lesers aus Österreich: Ich habe beobachtet, dass man bei uns im österreichischen Raum »Adventzeit« sagt, während es in Deutschland auf Plakaten, Ankündigungen und in Fernsehzeitschriften immer »Adventszeit« heißt. Mir persönlich ist Adventzeit sympathischer und logischer, für ein Fugen-s sehe ich keinen Grund. Welcher Ausdruck ist richtig?

Antwort des Zwiebelfischs: Ihre Beobachtung ist absolut korrekt. Das Wort »Advent« wird in Deutschland und Österreich unterschiedlich behandelt. Es wird auch unterschiedlich ausgesprochen. In Deutschland wird es allgemein mit einem weichen »w« gesprochen und bekommt in Zusammensetzungen ein Fugen-s: Adventszeit ist die Zeit des Advents, hier lässt sich das Fugen-s also mit dem Genitiv rechtfertigen.

In Österreich wird der Advent vielerorts mit »f« gesprochen und erhält in Zusammensetzungen kein Fugen-s: Adventzeit, Adventkalender. Dass Sie die Formen ohne Fugenzeichen schöner finden, ist ganz natürlich, denn man empfindet immer das als schöner, was einem vertraut ist. In Österreich ist »Adventzeit« richtig, in Deutschland »Adventszeit«. Wie so oft gilt mehr als eine Möglichkeit. Besonders große Liebhaber des Fugenzeichens sprechen übrigens auch gerne vom »Adsventskranz«, denn das zischt so schön. Diese Form wird aber – wohlgemerkt – nur scherzhaft gebraucht.

Wie die Sprache am Rhein am Verlaufen ist

Es gibt in der deutschen Sprache so manches, was es offiziell gar nicht gibt. Die sogenannte rheinische Verlaufsform zum Beispiel. Die hat weniger mit dem Verlauf des Rheins zu tun, dafür umso mehr mit Grammatik. Vater ist Fußball am Gucken, Mutter ist die Stube am Saugen. Und der Papst war wochenlang im Sterben am Liegen.

Meine Freundin Holly ist Amerikanerin, genauer gesagt Kalifornierin. Obwohl sie ein sehr aufgeschlossener und wissbegieriger Mensch ist und seit nunmehr fünf Jahren in Deutschland lebt, hat sie mit der deutschen Sprache noch immer ihre liebe Not. »Deutsch ist so ... *complicated*«, schimpft sie, »andauernd hat man es mit Ausnahmen zu tun.« – »Ich glaube nicht, dass es irgendeine Sprache gibt, die ohne Ausnahmen auskommt«, erwidere ich, »dafür sind die meisten Sprachen einfach zu alt und haben schon zu viele Entwicklungen durchgemacht.« – »Es ist aber eine Tatsache, dass die deutsche Sprache nicht wirklich praktisch ist«, sagt Holly, »eure Wörter sind so furchtbar lang, mit all den vielen Endungen, die Sätze hören gar nicht mehr auf, der Satzbau ist *confusing*, mal steht das Subjekt vorne, mal das Objekt, wer soll sich da zurechtfinden? Mark Twain hielt die deutsche Sprache für besonders unordentlich und systemlos. Er hatte Recht!« – »Es klappt doch aber schon ganz gut bei dir«, versuche ich sie zu beschwichtigen. Da fällt Holly noch etwas anderes ein: »Und weißt du, was dem Deutschen außerdem fehlt? Es hat keine *continuous form*!« – »Keine was?«, frage ich. »Continuous form – *I'm reading a book, you are watching* TV und so weiter.« – »Ach so, du meinst die Verlaufsform«, sage ich. »Genau«, sagt Holly, »die ist ungeheuer praktisch! Es ist doch ein Unterschied, ob ich sage

›I am eating fish‹ oder ›I eat fish‹. Das Erste bedeutet, dass ich gerade jetzt einen Fisch verspeise; das Zweite bedeutet dagegen, dass ich grundsätzlich Fisch esse, aber das kann ich auch sagen, während ich gerade eine Mousse au Chocolat esse. Wenn man im Deutschen ausdrücken will, dass sich eine Handlung auf einen bestimmten Zeitraum bezieht, dann muss man einen Satz bilden wie ›Ich bin gerade dabei, das und das zu tun.« Das ist doch total umständlich! Sogar im Japanischen gibt es eine Verlaufsform, warum nicht im Deutschen?«

An dieser Stelle muss ich Widerspruch einlegen: »Dass es im Deutschen keine Verlaufsform gibt, ist nicht richtig.« Holly blickt mich erstaunt an: »Tatsächlich? Wie sieht die denn aus?« – »Nun, das kommt darauf an, es gibt nämlich mehrere Möglichkeiten, die Verlaufsform zu bilden. In der Standardsprache wird dabei nach folgendem Rezept verfahren: Man nehme eine Form von ›sein‹, dazu die Präposition ›beim‹ und den substantivierten Infinitiv, fertig ist die Verlaufsform. ›Ich bin beim Einkaufen‹, ›Mutter ist beim Geschirrspülen‹, ›Lars ist beim Arbeiten‹ und ›Alle sind beim Essen‹, um nur ein paar Beispiele zu nennen. Schöner, aber seltener ist die mit ›im‹ gebildete Verlaufsform: ›Bärte sind wieder im Kommen‹, ›Ich war schon im Gehen, da rief er mich noch einmal zurück.‹« – »Ach, das ist die deutsche *continuous form*? Dann wird ›I'm thinking about you‹ auf Deutsch zu ›Ich bin beim Denken an dich‹?« – »Nein, die Verlaufsform bietet sich nicht für alle Verben an. Jedenfalls nicht in der standardsprachlichen Ausführung. Es gibt daneben aber noch eine umgangssprachliche, die sehr viel flexibler ist. Sie wird mit der Präposition ›am‹ gebildet.« – »Nenn mal ein Beispiel!«, bittet Holly.

»Alle sind am Jubeln, wenn Deutschland Europameister wird. Mein Nachbar ist total am Verzweifeln, weil sein PC schon wieder am Spinnen ist. Wenn andere schlafen, bin ich am Arbeiten.« Holly nickt: »Stimmt, das kenne ich! ›Ich bin am Arbeiten‹, das sagen manche Leute wirklich.« – »Und wenn dich jemand fragt: ›Möchtest du noch ein Stück Kuchen?‹, dann kannst du – mit Rücksicht auf deine Hüften-Verlaufsform – antworten: ›Nein danke, ich bin gerade am Abnehmen.‹« – »Das wiederum habe ich noch nie gehört«, behauptet Holly und lacht.

Ich nenne weitere Beispiele: »Statt ›Ich denke gerade nach‹ oder ›Ich überlege noch‹ hört man auch sehr oft ›Ich bin gerade am Nachdenken‹ oder ›Ich bin noch am Überlegen‹.« – »Aber ist das richtiges Deutsch?«, fragt Holly. »Wie gesagt, es ist nicht Standard. Doch in weiten Teilen Deutschlands ist es absolut üblich. Die Regel sieht vor: ›Ich telefoniere gerade‹, und die Umgangssprache macht daraus: ›Ich bin gerade am Telefonieren‹! Wenn der Chef in Rage gerät, raunen sich die Kollegen zu: ›Der ist mal wieder voll am Durchdrehen!‹ Und wenn's so richtig Ärger gibt, dann ist ›die Kacke am Dampfen‹. Letzteres funktioniert sogar ausschließlich in der Verlaufsform. Den Ausdruck ›dann dampft die Kacke‹ gibt es nicht.«

Holly ist begeistert: »Das ist wirklich faszinierend! Warum bringen sie einem das nicht im Deutschunterricht bei? Da lernt man alle möglichen Regeln und Formen, aber dass es diese Verlaufsformen gibt, das verheimlichen sie einfach!« – »Lehrer sind angehalten, nur Hochdeutsch zu unterrichten. Für Sonderformen der Umgangssprache ist im Deutschunterricht normalerweise kein Platz. Obwohl man ein paar Kenntnisse manchmal schon brauchen kann – bei der Zeitungslektüre zum Beispiel. Gelegentlich findet man die umgangssprachliche Verlaufsform nämlich selbst in Überschriften. In der ›Frankfurter Allgemeinen Zeitung‹ konnte man lesen: ›Das Geschäftsmodell für den Smart ist am Wanken‹. Und im ›Kölner Stadt-Anzeiger‹ stand unlängst: ›Ölpreis weiter am Sinken‹. Da ist mancher Leser verständlicherweise ›am Kopfschütteln‹. In Düsseldorf und Köln allerdings wird kaum jemand Anstoß daran genommen haben. Die Rheinländer benutzen die Verlaufsform nämlich besonders gern und haben sie auf ihre Weise perfektioniert. Daher spricht man auch von der rheinischen Verlaufsform.«

Holly kommt aus dem Staunen gar nicht mehr raus: »Die rheinische Verlaufsform? Willst du sagen, das Rheinland hat eine eigene *continuous form*?« – »Genau! Das Rheinland hat den Karneval und eine eigene Verlaufsform. Nehmen wir mal den Satz ›Ich packe die Koffer‹. Das ist eine ganz normale Aussage im Präsens. In der herkömmlichen Verlaufsform wird es zu ›Ich bin am Kofferpacken‹. In der rheinischen Verlaufsform wird es zu ›Ich bin die Koffer am Packen‹. Und ein Satz wie ›Chantal föhnt sich die Haare‹ wird zu ›Dat Chantal ist sich die Haare am Föhnen‹. Das Ganze gipfelt im ›rheinischen Rodeo‹.« – »Was, ein Rodeo haben die auch?« – »Ja, da ist der Bauer die Kuh am Stall am Schwanz am raus am Ziehen. Das ist das rheinische Rodeo. Im benachbarten Ruhrgebiet sind diese Formen ähnlich populär, da weiß man zum Beispiel: ›Wenn dat einmal am Laufen fängt, hört dat nich mehr auf.‹ Dort hängt man übrigens auch gern noch das Wörtchen ›dran‹ dran. Da heißt es dann: ›Na, wat bisse heut so am Machen dran?‹ Das ist dann allerdings schon eine Lektion für Fortgeschrittene.« Holly atmet tief durch: »Wow! Das ist *amazing*! Ich frage mich, ob Mark Twain das wohl gewusst hat.«

»Jetzt noch mal zur Übung«, sage ich. »Nehmen wir den Satz ›Tim repariert den Motor‹. Der wird in standardsprachlicher Verlaufsform zu ›Tim ist beim Reparieren des Motors‹. Und wie lautet nun die verschärfte rheinische Form?« – »Moment, warte, ich komm drauf: Tim ist dem Motor am Reparieren! Right?« – »Perfekt! Damit bist du bald jeder Rheinländerin Konkurrenz am Machen!«

Die Place, die Gare, die Tour?

Frage eines Lesers: Nach einem Parisbesuch tauchten in Bezug auf Plätze, Bahnhöfe und besondere Bauten, die im Deutschen den männlichen Artikel verlangen, auf Französisch jedoch weiblich sind, folgende Fragen auf: Sagt man *die* oder *der* Place de l'Étoile? Sagt man *die* oder *der* Gare de l'Est? Sagt man *die* oder *der* Tour Montparnasse? Gibt es dafür eine Regel?

Antwort des Zwiebelfischs: Die Place oder der Place – darüber lässt sich trefflich streiten! Als Romanist habe ich selbst lange Zeit dem französischen Geschlecht Vorrang erteilt und Sätze gesagt wie »Wir trafen uns auf der Place Vendôme« und »Wir trennten uns an der Gare du Nord.« Inzwischen aber bin ich zu der Überzeugung gelangt, dass in deutschen Sätzen auch nach deutscher Grammatik verfahren werden sollte. Schließlich ist nicht jeder des Französischen mächtig. Und müsste man dann nicht auch bei jedem anderen Gebäude dieser Welt nach dem Geschlecht forschen, das ihm die jeweilige Landessprache zuweist?

Im Englischen sind Gebäude grundsätzlich sächlich, deswegen heißt es im Deutschen aber nicht »das Tower« oder »das Royal-Albert-Hall«. Ebenso wenig »das London-Bridge«, »das Piccadilly Circus« oder »das Victoria-Station«. Ganz selbstverständlich wählen wir hier den Artikel des entsprechenden deutschen Wortes: der Tower (der Turm), die Royal-Albert-Hall (die Halle), die London-Bridge (die Brücke).

Da mir bislang kein überzeugender Grund dafür eingefallen ist, weshalb man französische Gebäude im Deutschen anders behandeln sollte als englische, plädiere ich dafür, sich auch bei »Place«, »Gare« und »Tour« nach dem Geschlecht der deutschen Entsprechung zu richten. Also »der Place de l'Étoile«, »der Gare de l'Est« und »der Tour Montparnasse«. Wer übrigens in Paris die U-Bahn benutzt, der fährt mit »der Metro« – nicht mit »dem Metro«, auch wenn es auf Französisch »le métro« heißt.

Neben dem Genus kann mitunter auch der Numerus Probleme bereiten. Manche Namenwörter stehen nämlich im Plural, so wie die berühmteste aller Pariser Prachtstraßen, die Champs-Élysées. In der populären verkürzten Form wird die »Avenue der Champs-Élysées« nicht zu *der* Champs-Élysées, sondern zu *den* Champs-Élysées; denn Champs-Élysées ist ein Pluralwort und bedeutet »Elysienfelder«.

Beim Stichwort »Champs-Élysées« fällt mir natürlich der Schlager von Joe Dassin ein (»Oh, Champs-Élysées«). Da heißt es in einer Strophe: »Von La Concorde bis zum Étoile erklingt Musik von überall.« Étoile ist hier männlich, obwohl es im Französischen weiblich ist. Wenn selbst ein Franzose wie Joe Dassin sich der deutschen Grammatik fügt, dann können wir es mit ruhigem Gewissen auch.

Die Franzosen haben ihrerseits keine Bedenken, deutsche Gebäude in französischen Sätzen nach den Regeln der französischen Grammatik zu behandeln. Die Frage »Holst du mich am *Hauptbahnhof* ab?« wird im Französischen zu: »Tu vas me chercher à la *Hauptbahnhof*?«

Sprichwörtlich in die Goldschale gelegt

Kennen Sie das auch? Da benutzt jemand eine bekannte Redewendung, und man wird das Gefühl nicht los: Irgendetwas stimmt da nicht. Haben Sie schon mal gehört, dass Liebe auf den Magen schlägt, dass einem etwas Unterkante Oberwasser steht und dass jemand friert wie ein Rohrspatz? Dann kennen Sie vielleicht meine Freundin Sibylle.

Sibylle ist ein lieber Mensch, und sie redet sehr gern. Eigentlich ununterbrochen. Dabei hat sie eine ausgesprochene Vorliebe für bildhafte Vergleiche und klangvolle Redewendungen; allerdings trifft sie nicht jedes Mal den Hammer auf den Nagel. Den Hammer auf den Nagel? Es heißt doch wohl »den Nagel auf den Kopf«. Sie sehen schon, worauf ich hinauswill. Sibylle verwendet Ausdrücke, die in keinem Wörterbuch stehen. Man versteht die Redewendung zwar, aber man wird das Gefühl nicht los, dass irgendetwas mit ihr nicht ganz richtig ist. Mit der Redewendung, meine ich, nicht mit Sibylle.

Sibylle hat ein großes Herz, Kleinigkeiten lässt sie großzügig »unter den Teppich fallen«, und sie lässt auch gerne mal »alle viere gerade sein«. Besonders mag Sibylle Tiere. »Auch eine blinde Kuh findet die Spreu im Weizen«, sagt sie zum Beispiel. Und sie würde auch niemals »mit Tauben auf Spatzen schießen«. Dafür sind ihr gelegentlich schon mal »die Pferde durchgebrochen«. Sibylle weiß, »wo der Hase begraben ist«, und wenn sie etwas nicht weiß, dann steht sie da »wie die Kuh vorm Himmelstor«. Sibylle macht sich nicht viel aus Fleisch, aber zu Hühnchen sagt sie nicht Nein, und wenn ihr etwas ganz besonders verrückt vorkommt, dann ruft sie: »Da wird doch das Huhn in der Pfanne verrückt!« Meinen Hinweis, dass es der Hund sei, der da verrückt wird, wehrt sie entrüstet ab: Was soll denn ein Hund in der Pfanne? Das klinge doch eher nach einem chinesischen Sprichwort. Manchmal allerdings blickt Sibylle überhaupt nicht durch, dann sieht sie »den Baum vor lauter Bergen« nicht oder ist schlicht und einfach »auf dem falschen Holzdampfer«. Was für den einen böhmische Dörfer sind und dem anderen spanisch vorkommt, das ist für Sibylle praktischerweise eins: »Für mich ist das ein spanisches Dorf«, sagt sie.*

Derlei Verdrehungen ziehen sich durch Sibylles Wortschatz »wie ein rotes Tuch«. Kaum ein »Fettschnäppchen«, in das sie nicht schon getreten wäre. Sie kann Politiker nicht leiden, weil die meistens »mit zweischneidiger Zunge« reden. Auch von anderen Männern hält Sibylle nicht viel. Wenn das Gespräch auf ihren Ex kommt, dann winkt sie ab. Mit dem ist sie nie auf einen »grünen Nenner« gekommen. Der brauche mal jemanden, der ihm ordentlich »die Levanten« liest, sagt sie. Jawohl, auch vor der Bibel macht Sibylle nicht Halt. Einmal ist sie so erschrocken, dass sie nach eigenen Worten »fast zur Salzsäure erstarrt« ist.

Nicht dass Sie denken, ich wollte mich über Sibylle lustig machen. Das käme mir nicht in den Sinn. Schließlich ist sie eine liebe Freundin, und wenn ich sie nicht hätte, wäre mein Leben ärmer. Auf jeden Fall gäbe es für mich weniger zu lachen. Und zu lernen. Denn Sibylle ist ausgesprochen lebensklug. Sie weiß, dass es nicht immer ratsam ist, Entscheidungen »über den Zaun zu brechen«, und für drastische Maßnahmen hat sie eine entwaffnende Rechtfertigung parat: »Der Zweck bringt die Mittel auf.« Auch Körperbehinderte kommen bei ihr besser weg als anderswo, denn »unter den Blinden« ist Sibylle zufolge »der Einbeinige König«. Und wenn alles schief geht, kann man sich auf Sibylle verlassen, denn sie hat meistens noch »einen Triumph im Ärmel«.

* Im Tschechischen und im Französischen spricht man tatsächlich von »spanischen Dörfern«, wenn man sich mit einer Sache nicht auskennt.

Viele Redewendungen enthalten Begriffe, die aus unserer Alltagssprache längst verschwunden sind. Wer weiß denn noch, was ein Scheffel* ist? Sibylle jedenfalls nicht. Sie rät allen, die ihrer Meinung nach zu bescheiden sind, ihr Licht nicht »unter den Schemel« zu stellen.

Irgendwann einmal habe ich Sibylle empfohlen, sich doch lieber mit ihren eigenen Worten auszudrücken. »Sprich wörtlich, nicht sprichwörtlich«, lautete mein Rat. Sibylle erwiderte, ich solle nicht immer jedes Wort in die Goldschale legen und mich lieber an der eigenen Nase herumführen.

Macht nix. Ich hab Sibylle trotzdem gern. »Man wird alt wie eine Kuh und lernt trotzdem nichts dazu«, sagt sie selbstironisch. Und schließlich sei die Suche nach dem passenden Ausdruck oft »das reinste Waggon-Spiel«. Recht hat sie. Wer könnte schon von sich behaupten, dass ihm solche Fehler nicht auch ab und zu unterliefen? Ein kleiner »Wehmutstropfen« hier, ein weiterer Fall von »Mund-zu-Mund-Propaganda« dort. Ein bisschen Sibylle steckt vermutlich in jedem von uns.

Zum Beispiel in jenem Sportreporter, der da in einem Bericht über die Formel 1 sibyllinisch, wenn nicht gar sibyllisch schrieb: »Teamchef Eddie Jordan hat Berichte dementiert, wonach sein Team erneut kurz vor dem Aus stehe – dabei hatte der Ire erst vor wenigen Tagen der Belegschaft den schwarzen Peter an die Wand gemalt.«

* Scheffel = schaufelartiges Gefäß, das als Getreidemaß diente. Eine dahinter gestellte Lampe war abgeschirmt und leuchtete nicht weit.

So heißt es richtig:	Und das bedeutet es:
Liebe geht durch den Magen	Mit einem gut gekochten Mahl gewinnt man leichter die Zuneigung eines anderen Menschen
etwas steht einem (bis) Oberkante Unterlippe	etwas ist einem gründlich zuwider
schimpfen wie ein Rohrspatz	laut und unablässig schimpfen
etwas unter den Teppich kehren	etwas vertuschen, herunterspielen
fünfe gerade sein lassen	etwas nicht so genau nehmen
Auch ein blindes Huhn findet mal ein Korn	jeder hat irgendwann mal ein bisschen Glück
mit Kanonen auf Spatzen schießen	unverhältnismäßige Mittel einsetzen
die Pferde gehen jmdm. durch	jmd. gerät außer sich, verliert die Beherrschung
da liegt der Hase im Pfeffer/da liegt der Hund begraben	das ist der entscheidende Punkt
dastehen wie der Ochs vorm Berg/ wie die Kuh vorm Scheunentor/ vorm neuen Tor	völlig ratlos sein, sich nicht zu helfen wissen
Da wird der Hund in der Pfanne verrückt	Das ist nicht zu fassen!
den Wald vor lauter Bäumen nicht sehen	das Nächstliegende nicht erkennen
auf dem falschen Dampfer sein/auf dem Holzweg sein	sich im Irrtum befinden
Das sind für mich böhmische Dörfer	Davon verstehe ich nichts
Das kommt mir spanisch vor	Das kommt mir seltsam vor
sich wie ein roter Faden durch etwas ziehen	Etwas ist ein immer wiederkehrendes Motiv
ins Fettnäpfchen treten	eine Taktlosigkeit begehen
mit gespaltener Zunge reden	die Unwahrheit sagen

So heißt es richtig:	Und das bedeutet es:
Das ist ein zweischneidiges Schwert	Das hat Vor- und Nachteile
etwas auf einen gemeinsamen Nenner bringen	etwas angleichen, in Übereinstimmung bringen
auf einen grünen Zweig kommen	Erfolge verbuchen können, wirtschaftlich vorankommen
jemandem die Leviten lesen	jemandem gehörig die Meinung sagen
zur Salzsäule erstarren	wie angewurzelt dastehen
eine Entscheidung übers Knie brechen	eine Entscheidung um jeden Preis herbeiführen
einen Streit vom Zaun brechen	einen unnötigen Streit herbeiführen
Der Zweck heiligt die Mittel	Der Zweck rechtfertigt die Maßnahmen
sein Licht nicht unter den Scheffel stellen	sich nicht zu bescheiden geben
Unter den Blinden ist der Einäugige König	Ein Mensch mit geringer Begabung gilt etwas unter Menschen mit noch geringerer Begabung
noch einen Trumpf im Ärmel haben	etwas Erfolgversprechendes in Reserve haben
alles auf die Goldwaage/auf die Waagschale legen	alles sehr genau nehmen, etwas allzu wörtlich nehmen
jmdn. an der Nase herumführen	jmdn. hereinlegen
sich an die eigene Nase fassen	prüfen, ob man einen Fehler, den man anderen vorhält, nicht selbst gemacht hat
Man wird alt wie eine Kuh und lernt immer noch dazu	Man ist nie zu alt, um noch etwas dazuzulernen
Vabanquespiel (von frz. va banque = »Es gilt die Bank«, d.h. es geht um den gesamten Einsatz)	ein hohes Risiko eingehen
etwas ist ein kleiner Wermutstropfen	etwas trübt die Freude

So heißt es richtig:	Und das bedeutet es:
Mundpropaganda	mündliche Verbreitung einer Nachricht (hat nichts mit Mund-zu-Mund-Beatmung zu tun)
jemandem den schwarzen Peter zuschieben	jemandem die Schuld an etwas geben
den Teufel an die Wand malen	ein Unheil heraufbeschwören

Wie die Faust aufs Auge

Frage einer Leserin: Lieber Zwiebelfisch, ich bin mir sicher, dass Sie helfen können, die Bedeutung einer Redensart zu klären, die ich seit meiner Kindheit verwende: Das passt »wie die Faust aufs Auge« wurde in meiner Familie immer für Dinge verwendet, die überhaupt nicht zueinander passen, wie zum Beispiel zwei Farben, die »sich schlagen«. Nach meinem Gefühl ist das die korrekte Deutung. Nun gibt es aber in meinem Bekanntenkreis einige, die diese Redensart genau im umgekehrten Sinn verwenden, für Dinge, die besonders gut zueinander passen. Das erscheint mir unlogisch. Ich konnte mich aber bis jetzt mit meiner Ansicht nicht durchsetzen, da mir das »schlagende« Argument fehlt. Jetzt wende ich mich voller Hoffnung an Sie. Welche Deutung ist die richtige?

Antwort des Zwiebelfischs: Die Redewendung von der »Faust aufs Auge« ist ein klassisches Beispiel für die Wandlungsfähigkeit der deutschen Sprache. Mit dem Vergleich wurde ursprünglich ausgedrückt, dass etwas überhaupt nicht zu etwas passt. Faust und Auge passen nicht zusammen, weil es höchst unangenehm ist, einen Faustschlag aufs Auge zu bekommen. Als einen solchen Faustschlag konnte zum Beispiel der modebewusste Mensch unpassende Kleider- und Farbkombinationen empfinden: »Roter Rock zu orangefarbener Bluse – das passt wie die Faust aufs Auge!« So die ursprüngliche Bedeutung, wie Sie sie kennen gelernt haben.

Durch häufigen ironischen Gebrauch entwickelte sich aber eine zweite, und zwar genau gegenteilige Bedeutung: etwas passt sehr gut, ganz genau zueinander. Die ironische Sinnverdrehung gipfelte in der scherzhaften Abwandlung

»Das passt wie Faust aufs Gretchen«, bei der auf Goethes »Faust« Bezug genommen wird.

Die zweite Deutung ist heute die geläufigere, auch wenn die ursprüngliche nach wie vor gültig ist. Im Zweifelsfall erschließt sich die passende Deutung aus dem Zusammenhang.

Krieg der Häkchen: Episode »2« – die »Rückkehr«

Der Deutsche an sich hat eine unerklärliche Vorliebe für Häkchen. Aus lauter Begeisterung setzt er sie auch gerne dort, wo sie nichts zu suchen haben. Falsche Kommas, sind an der Tagesordnung. Auch vor Apostroph'en ist niemand mehr sicher. Aber es kommt noch dicker: Jetzt hat den Deutschen die »Anführungswut« gepackt – und es gibt »kein Entrinnen« mehr!

Als ich kürzlich am Bahnhof vorbeiging, fiel mein Blick auf ein Schild, das an einer Mauer angebracht war:

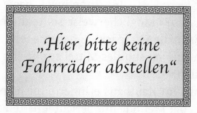

»Hier bitte keine Fahrräder abstellen«, stand darauf. Ich blieb ruckartig stehen, wandte den Kopf und sah mir das Schild noch einmal ganz genau an. Ich hatte mich nicht getäuscht, dort stand tatsächlich *»Hier bitte keine Fahrräder abstellen«* – und zwar genau so, wie Sie es hier sehen: mit An- und Abführungszeichen. Es handelte sich demnach offenbar um ein Zitat, denn Zitate werden in Anführungszeichen wiedergegeben. Also suchte ich nach einer Quellenangabe, nach dem Namen des Urhebers, doch da stand nichts weiter. Irgendwer musste diesen Spruch aber geprägt haben. Vielleicht war er zu unbedeutend, um auf dem Schild erwähnt zu werden? Aber warum wurde er dann überhaupt zitiert? Die Sache ließ sich leider nicht mehr aufklären.

Ein paar Tage später entdeckte ich in einem Kaufhaus ein Schild, auf dem folgender Hinweis stand: *Gerne packen wir Ihre »gekauften Artikel« in unserer Geschenkabteilung ein.* Auf ein solches Schild muss man zweimal schauen; denn die An- und Abführungszeichen rund um die »gekauften Artikel« haben eine irritierende Wirkung. So wie ein Augenzwinkern. Wenn ich mir bei der Kleideranprobe einen Pullover überziehe, der mir ein paar Nummern zu groß ist, und der Verkäufer sagt: »Das macht nichts, da wachsen Sie noch rein!«, und dabei zuckt er heftig mit dem linken Auge, dann weiß ich: Das war nicht so gemeint, das war nur kleines Späßchen. Genauso fühlte ich mich von den Gänsefüßchen bei den »gekauften Artikeln« angezwinkert. So als wollte das Schild mir sagen: »Na, alter Langfinger, haste wieder was mitgehen lassen?« Möglicherweise sollte dieses Schild gar kein Hinweis auf den Verpackungsservice sein, sondern war am Ende ein äußerst subtiles Mittel zur Verhütung von Ladendiebstählen!

Das Erlebnis im Kaufhaus erinnerte mich an eine Beobachtung, von der Freunde mir berichtet hatten. Auf irgendeinem Flughafen war ihnen ein Schild aufgefallen, das folgende Aufschrift trug: *Bitte lassen Sie Ihr »Gepäck« nicht unbeaufsichtigt!* Die Häkchen vor und hinter dem Wort *Gepäck* verliehen dem Ganzen einen geradezu empörend arroganten Unterton. Meine Freunde lasen unwillkürlich zwischen den Zeilen heraus: »Ihre schäbigen Koffer verdienen zwar kaum die Bezeichnung *Gepäck*, aber lassen Sie sie trotzdem nicht unbeaufsichtigt.«

Die Mode des gedankenlosen Setzens von Anführungszeichen greift immer wilder um sich. Dabei wird der gewünschte Effekt, nämlich Betonung, längst nicht immer erreicht. Oft ist eher das Gegenteil der Fall, und die Empfehlung schlägt in Abschreckung um. Wenn ich im Schwimmbad eines Hotels den Hinweis lese dann frage ich mich doch unweigerlich, was ich vom Frischegrad dieser Handtücher zu halten habe – und benutze lieber mein gebrauchtes.

Geradezu beängstigend wird es, wenn ich an Bord eines Flugzeugs in einem Prospekt lesen muss: *Wir wünschen Ihnen einen »guten Flug«.* Für mich liest sich das nämlich so: »Hallo, lieber Fluggast, Sie wissen ja, der Ruf unserer Gesellschaft ist nicht gerade der beste, also erwarten Sie nicht zu viel. Beschwerden bitte direkt in die dafür vorgesehene Spucktüte! Und jetzt heißt es: Anschnallen und beten!«

Anführungszeichen erfüllen vier unterschiedliche Funktionen.

Erstens dienen sie der Ein- und Ausleitung direkter Rede:

· *»Das hätten wir geschafft!«, rief er.*
· *»Ich heiße Sabine«, sagte Sabine, »und wie heißt du?«*

Zweitens dienen Anführungszeichen dazu, Zitate kenntlich zu machen:

· *Der Ausspruch »Erlaubt ist, was gefällt« stammt von Goethe.*
· *In der Bibel steht: »Du sollst nicht töten.«*

Drittens dienen Anführungszeichen der Hervorhebung einzelner Wörter oder Wortgruppen:

· *Das Wort »Standard« schreibt sich am Ende mit »d«.*
· *Unter dem Stichwort »Liebe« findet man mehr als tausend Einträge.*

In Anführungszeichen stehen Namen von Zeitungen, Zeitschriften, Büchern, Kinofilmen, Fernsehsendungen, Musikstücken, Kunstobjekten und Bühnenwerken, um dem Leser zu signalisieren: »Achtung, dies ist ein Name!« Mozarts »Figaro« ist eben nicht der Mann, der Mozart die Haare frisierte, sondern eine Mozartoper. Und wenn man liest: *Er sah jeden Montag als Erstes in den »Spiegel«,* dann weiß man, dass damit nicht der Badezimmerspiegel, sondern das Nachrichtenmagazin gemeint ist. Ich komme übrigens jeden Morgen auf dem Weg zur Arbeit am »Atlantik« vorbei. Stünden die Anführungszeichen nicht da, so könnte man jetzt denken, ich wohnte am Meer. Das »Atlantik« ist aber ein Hotel. Auch Namen von Hotels, Schiffen und Gaststätten können in Anführungszeichen stehen.

Viertens dienen Anführungszeichen dazu, um Ironie, eine Wortspielerei oder eine Distanzierung kenntlich zu machen. Letzteres ist zum Beispiel häufig bei der Verwendung von Begriffen der Fall, die historisch belastet sind oder einen ethisch verwerflichen Vorgang in schönfärberischer Weise beschreiben, so wie das Wort »Säuberung«, das in Wahrheit oft eine zutiefst schmutzige, wenn nicht gar blutige Angelegenheit bedeutet. Die »Bild«-Zeitung hat die Abkürzung DDR stets in Anführungszeichen gesetzt, um deutlich zu machen, dass sie die DDR nicht anerkannte.

Anführungszeichen weisen auf das anders Gemeinte hin, sie dienen der Hervorhebung, aber nicht der Betonung. Wer ein einzelnes Wort mit typografischen Mitteln stärker betonen will, dem stehen dafür zahlreiche andere Möglichkeiten zur Verfügung. Innerhalb eines Textes kann man das Wort <u>unterstreichen</u>, man kann es **fetten,** g e s p e r r t schreiben oder *kursiv* setzen. Auf Einladungen, in Prospekten oder Schildern kann man außerdem entweder eine andere Farbe oder `Schriftart` verwenden oder das Wort einfach größer schreiben. Es gibt viele geeignete Mittel und Wege, ein Wort zu betonen. Die Verwendung von »Anführungszeichen« gehört nicht dazu.

Eine Betonung soll ja erreichen, dass einem das Wort in seiner primären Bedeutung sofort ins Auge springt. Anführungszeichen aber lenken die Aufmerksamkeit von der primären Bedeutung auf eine übertragene Bedeutung. Sie sind ein typografisches Augenzwinkern. Wer den Autor dieses Buches als einen Mann für alle Fälle bezeichnet und das Wort »Fälle« dabei in Anführungszeichen setzt, macht damit klar, dass es sich um ein Wortspiel handelt und mit den Fällen keine Gelegenheiten, sondern Nominativ, Genitiv, Dativ und Akkusativ gemeint sind.

Anführungszeichen stehen also immer dann, wenn etwas nicht in seiner wörtlichen Bedeutung gemeint ist. Was aber könnte mit einem *Schnitzel »Wiener Art«* anderes gemeint sein als ein Schnitzel Wiener Art? Wo verbirgt sich das Wortspiel in der Aussage *Unsere Pizza ist garantiert »ofenfrisch«*? Was ist so eindeutig zweideutig an jenem Lokal, das als *Der älteste »Gasthof« Rügens* ausgewiesen wird? Wovon distanzieren sich die Betreiber des Einkaufszentrums, das *Nur »2 Minuten Fußweg« vom Bahnhof* gelegen sein soll? Und was verbirgt sich tatsächlich hinter der Tür, durch die *Leckeres aus unserer »Küche«* getragen wird? Ist es als ein Indiz für gestiegenen Marihuanakonsum zu werten, wenn Kantinen darauf hinweisen, dass *»Rauchen« nicht gestattet* sei?

Die Anführungswut ist kaum noch aufzuhalten. Im Supermarkt werden Orangen als »Orangen« angeboten (sind es in Wahrheit mutierte Clementinen?), und der Elektrohändler hat ein Schild ins Fenster gehängt, auf dem herabgesetzte DVD-Geräte als »Neuware« angepriesen werden. So ein Schelm!

Nichts bringt den Unsinn mit den Anführungszeichen besser auf den Punkt als jene Zeichnung des Karikaturisten Martin Perscheid, auf der ein Mann vor einem Schild mit der Aufschrift "Frische Brötchen" steht und verwundert ob der An- und Abführungszeichen denkt: »Ein Apostroph reicht jetzt wohl nicht mehr.«

Thema »Rente« oder Thema Rente?

Frage eines Lesers aus Wiesbaden: Ich beobachte immer wieder schwankenden Gebrauch der Anführungszeichen in Fällen wie diesen:

Er gehört zur sogenannten Generation Golf.
Er gehört zur sogenannten »Generation Golf«.

Beim Thema Rente erzielten die Politiker Einigkeit.
Beim Thema »Rente« erzielten die Politiker Einigkeit.

Wann sind die Anführungszeichen sinnvoll, wann sind sie unsinnig?

Antwort des Zwiebelfischs: Anführungszeichen dienen der Hervorhebung von Wörtern. Die Hervorhebung kann aber auch auf andere Weise erreicht werden, durch VER-SALIENSCHREIBUNG zum Beispiel, durch *Kursivschrift*, oder: einen Doppelpunkt. Und nicht selten ergibt sie sich aus dem Zusammenhang. Signalwörter wie »sogenannt« er-füllen die gleiche Funktion wie Anführungszeichen; das Setzen von Anführungszeichen hinter »sogenannt« bedeu-tet streng genommen eine Verdoppelung der Hervorhe-bung, die von einigen eher als »störend« denn als zweck-dienlich empfunden wird.

Im Fall der Generation Golf können Sie sich zwischen zwei Möglichkeiten entscheiden:

Er gehört zur »Generation Golf«.
oder:
Er gehört zur sogenannten Generation Golf.

Ansonsten sind Anführungszeichen überall dort willkommen, wo es gilt, Missverständnisse zu vermeiden, so wie hier:

Sie sprachen über das Thema »Beziehungen« mit geschiedenen Männern.

Setzt man die Anführungszeichen an anderer Stelle, werden aus Gesprächen *mit* Männern plötzlich Gespräche *über* Männer:

Sie sprachen über das Thema »Beziehungen mit geschiedenen Männern«.

Lautet der Satz aber nur: »Sie sprachen über das Thema Beziehungen«, kann auf Anführungszeichen verzichtet werden, da keine Verwechslungsgefahr besteht.

Auch der folgende Beispielsatz enthält keine Verwechslungsgefahr und somit keine Notwendigkeit für das Setzen von Anführungszeichen:

Zunächst leitete Herr Peters das Ressort Kultur und Gesellschaft.

Das ändert sich jedoch, wenn ein weiteres Ressort hinzukommt:

Von 2002 bis 2005 leitete Peters die Ressorts »Jugend« und »Kultur und Gesellschaft«.

Ohne die Anführungszeichen könnte dieser Satz nämlich als Aufzählung dreier Ressorts interpretiert werden.

Das Wörtchen »als« im falschen Hals

Es ist klein und unscheinbar – und dabei doch so ungemein praktisch und wichtig. Das kleine Wörtchen »als« erfüllt in unserer Sprache viele wichtige Funktionen. Leider wird es im Sprachalltag nicht besonders gut behandelt. Entweder fehlt es, wo es vonnöten wäre, oder es steht dort, wo es gar nicht hingehört.

»Als dein Freund kann ich's dir ja sagen«, sagt Henry zu mir, »deine Kochkenntnisse verdienten mal eine kleine Auffrischung.« Den zweiten Teil des Satzes habe ich gar nicht mehr wahrgenommen, weil schon der erste Teil meine gesamte Aufmerksamkeit absorbierte. »Als dein Freund«, hat Henry gesagt. Völlig zu Recht, und grammatisch tadellos. Das Wörtchen »als« steht hier nämlich für die (sehr viel umständlichere und daher nicht unbedingt zu empfehlende) Formulierung »... in meiner Eigenschaft als«.

Wenn ich mich »als Freund« um jemanden bemühe, dann heißt das nicht, dass ich sein Freund werden will, sondern dass ich bereits sein Freund bin. Diese Feinheit scheint aber nicht jedem bewusst zu sein. Erst kürzlich las ich wieder eine Meldung, in der es um die Neubesetzung des Postens des Weltbankpräsidenten ging. »Die Kandidatur von US-Vizeverteidigungsminister Paul Wolfowitz als Präsident der Weltbank hat in Europa heftige Kritik ausgelöst«, hieß es da. Wer aber »als Präsident« kandidiert, der ist bereits Präsident.

In den USA kann sich derzeit nur George W. Bush als Präsident für den Chefposten der Weltbank bewerben. Ob das Protokoll das zulässt, weiß ich nicht, aber wenigstens lässt es die Grammatik zu. Im Falle Paul Wolfowitz' lässt sie es nicht zu. Der kann bestenfalls (in seiner bisherigen Funktion) *als* stellvertretender Verteidigungsminister der USA *für* einen möglicherweise einträglicheren Posten kandidieren. »Als« bezieht sich auf das, was er ist, und nicht auf das, was er werden will. So wie sich Henry als mein Freund offenbar um den Abwasch bewirbt, wenn er glaubt, ungestraft über meine Kochkünste spotten zu können.

Man bewirbt sich *für* ein Amt oder *um* eine Stelle, aber wer sich *als* jemand bewirbt, der ist dieser jemand bereits. Wer »als Pirat« oder »als Prinzessin« zum Karneval geht, der hat die Kostümierung schon vorher angelegt. Und wer seine Freunde und Bekannten per Anzeige »als Verlobte grüßen« lässt, der ist bereits verlobt und gibt nicht erst mittels dieser Anzeige seine Verlobungsabsicht bekannt.

Die Frage »Soll Joschka Fischer sich als Bundespräsident bewerben?« muss folglich so beantwortet werden: Erst mal soll er Präsident werden, dann sieht man weiter, wofür er noch so alles taugt. Viele Journalisten bekommen das kleine Wörtchen »als« immer wieder in den falschen Hals. Zwar kann man als Sieger aus einem Wettkampf hervorgehen, doch wird man nicht als Sieger gekürt, sondern zum Sieger.

Andererseits ist es falsch, wenn man sagt: »Dich hätte ich gern zum Vorgesetzten!« Hier muss es richtig heißen: »Dich hätte ich gern als Vorgesetzten!«. Zwischen »als« und »zum« besteht ständige Verwechslungsgefahr. Dabei bedeuten sie keinesfalls dasselbe. »Als« steht vor dem, was ist, »zum« (oder »zur«) steht vor dem, was sein wird. Am deutlichsten offenbart sich der Unterschied anhand des folgenden Beispiels:

Als Minister taugte er nicht = Er war Minister und versagte kläglich im Amt.
Zum Minister taugte er nicht = Er sollte besser nicht Minister werden.

Die Konjunktion »als« ist noch in anderer Hinsicht phänomenal. Hinter bestimmten Verben (als da zum Beispiel wären »erklären«, »ansehen«, »betrachten« und »erachten«)

steht sie in einer interessanten Konkurrenz zum Wörtchen »für«, die eine etwas genauere Betrachtung verdient.

Warum heißt es »jemanden *als* vermisst« melden, aber »jemanden *für* tot erklären«? Warum nicht »für vermisst« oder »als tot«? In der Wahl des jeweiligen Bindewörtchens offenbart sich ein Bedeutungsunterschied. Wenn ich Henry »für« verrückt erkläre, so spiegelt das meine Meinung wider und beruht nicht unbedingt auf Tatsachen. Wenn er hingegen meine Kochkünste »als« unzureichend erklärt, so hört sich das wie das unumstößliche Ergebnis einer Prüfungskommission an. Im Wörtchen »für« schwingt also eine gewisse Subjektivität mit, während »als« den Anschein von Objektivität hat. Wer »für tot erklärt« wird, der gilt als tot, ohne dass man es beweisen kann. Wer »als vermisst gemeldet« wird, der wird tatsächlich vermisst. Wenn eine Unterschrift »als echt anzusehen« ist, dann gibt es keinen Zweifel an ihrer Authentizität. Wird sie hingegen »für echt angesehen«, dann wird sie nur für echt gehalten, kann aber dennoch gefälscht sein.

Als Adolf Hitler 1936 die Olympischen Spiele in Berlin eröffnete, erklärte er sie nicht »für eröffnet«, sondern »als eröffnet«. Hitler hat es bekanntermaßen mit Gesetzen und Regeln nicht sehr genau genommen, auf seinem Weg an die Macht und in den Untergang hat er sich über die meisten Gebote (zum Beispiel die der Vernunft und der Menschlichkeit) auf grausige Weise hinweggesetzt. In diesem Fall aber nahm er es zumindest mit der Grammatik sehr genau. Denn die Erklärung gab keine subjektive Einschätzung wieder, sondern schuf eine für alle Beteiligten verbindliche Tatsache. Man kann nun darüber streiten, ob die Formulierung »Hiermit erkläre ich das Büffet für eröffnet« nicht korrekterweise heißen müsse »Hiermit erkläre ich das Büffet als eröffnet«. Ich rate dringend davon ab, deswegen einen Streit vom Zaun zu brechen. Das könnte die Partystimmung vermiesen. Vor allem rate ich davon ab, sich in dieser Frage auf Adolf Hitler zu berufen. Das könnte noch viel mehr vermiesen als nur eine Party.

Geduldig hat sich Henry während des Geschirrspülens meine Ausführungen über »als« und »für« angehört. Schließlich legt er den Putzschwamm zur Seite und sagt: »Hiermit erkläre ich dich für unverbesserlich und den Abwasch als beendet!«

Gibt es das Wort »ebend«?

Frage eines Lesers: In einer Talkshow gebrauchte eine Frau wiederholt das Wort »ebend«. Ich kenne es nicht und kann es auch im Duden nicht finden. Es soll wohl dasselbe bedeuten wie »eben«. Gibt es dieses Wort tatsächlich, oder handelt es sich um falsches Deutsch?

Antwort des Zwiebelfischs: Bei dem Wort »ebend« handelt es sich um eine Dialektform. So ist »ebend« zum Beispiel im Ruhrgebiet zu hören, aber auch in Mecklenburg, in Brandenburg und in Berlin. »Da harrik ebend nich uffjepasst«, sagt der Berliner auf seine unverwechselbare Art und Weise und meint damit: »Da habe ich eben nicht aufgepasst.« Da wir Deutschen nun mal ein Volk von Dialektsprechern sind, muss man akzeptieren, dass es von ein und demselben Wort mehrere Aussprachemöglichkeiten gibt. Dies ist im Übrigen auch keinesfalls ein Nachteil, sondern der beste Beweis für die Lebendigkeit und Wandlungsfähigkeit unserer Sprache. Mundartliche Sonderformen bieten bekanntlich immer wieder Stoff für Witze und Parodien. Der Schauspieler und Kabarettist Diether Krebs war einst in einem Sketch zu sehen, der genau dieses Thema trefflich auf die Schippe nahm: Ein Mann kommt in eine Metzgerei und sagt: »Ich hätte gerne ein Pfund Nackend!« Erwidert der Metzger: »Das heißt Nacken!« Darauf der Kunde: »Na ebend!«

Wo lebt Gott eigentlich heute?

Als Gott noch in Frankreich lebte, nährte sich unsere Sprache haupt-
sächlich von französischen Begriffen. Das war chic und en vogue.
Heute ist Französisch »uncool«, wenn nicht gar »out«. Man sagt
Date statt Rendezvous, Model statt Mannequin, Level statt Niveau.
Gott lebt heute in Miami und genießt kalifornischen Chardonnay.

Mireille Mathieu wusste 1972 noch zu singen: »Gott lebt in
Frankreich, denn Frankreich ist schön.« Und niemand hätte ihr damals widersprochen. Frankreich ist immer noch
schön, aber Gott ist umgezogen. Er wohnt jetzt in den USA.
Vermutlich im Rentnerparadies Miami oder im beschau-
lichen Santa Barbara. Wie ich darauf komme? Unsere Sprache liefert genügend Indizien dafür! Einst war die deutsche
Sprache von französischen Ausdrücken gespickt. Denn bevor die Deutschen ihre Antennen ganz und gar auf die USA
ausrichteten, kamen die wichtigsten kulturellen – und somit auch sprachlichen – Impulse aus Frankreich.

Als Gott noch in Frankreich lebte, da wusste noch jeder,
was »Savoir-vivre« und »Laisser-faire« bedeuten. Heute dreht
sich alles um Lifestyle, und aus dem Laisser-faire-Prinzip
wurde »Take it easy!«. Was früher »en vogue« war, ist heute
»trendy«, und eine Mode, die irgendwann »passé« war, ist
heute »out«. Wer auf dem Laufenden war, der war mal »à
jour«, und wenn er einverstanden war, dann war er »d'ac-
cord«. Heute ist er »up to date« und gibt sein »okay«. Und wer
im Fahrstuhl jemandem auf die Füße tritt, der sagt nicht
mehr »Pardon!«, sondern murmelt nur noch »Sorry!«.

Wer seinen Geburtstag feiern will, der gibt keine Fete
mehr, sondern eine Party. Und der Grand Prix Eurovision de
la Chanson nennt sich neuerdings auch bei uns Eurovision
Song Contest. Wenn irgendwann auch die französische

Punktezählung abgeschafft wird (»L'Allemagne deux points«), dann ist der Sieg der englischen Sprache komplett. Adieu la France, oder genauer gesagt: bye, bye!

Als Gott noch in Frankreich lebte, trafen sich Verliebte noch zum Rendezvous, heute haben sie ein Date. Der Charmeur von einst gilt inzwischen als Womanizer, und die altmodische Romanze wurde zur modernen »love affair« umgedichtet. In so mancher Familie (neudeutsch: »family«) wird der Vater nicht »Papa« oder »Pa« gerufen, sondern »Daddy« oder »Dad«.

In den Sechzigern und Siebzigern wurden in Deutschland noch unzählige Filme aus Frankreich gezeigt, und jeder kannte die großen französischen Stars. Deutsche Männer träumten von Brigitte Bardot und Catherine Deneuve. Heute träumen sie von Nicole Kidman und Hilary Swank. Lange bevor es Bruce Willis gab, war Alain Delon der Inbegriff des lässigen Helden. Und man lachte hierzulande noch herzlich über Louis de Funès in seiner Rolle als »Der Gendarm von St. Tropez«. Ein Remake hätte heute vermutlich nur unter dem Titel »Der Cop von St. Louis« an den Kinokassen eine Chance.

Der Billy-Wilder-Film »The Apartment« wurde seinerzeit noch mit »Das Appartement« übersetzt. Da wurde der Doorman auch noch Portier genannt, und der Taxidriver war tatsächlich noch ein Chauffeur. Früher wurde der Gutschein auch mal Coupon genannt, heute bekommt man einen Voucher. Man kauft auch keine Billetts mehr, sondern Tickets. Hotels haben ihr Vestibül zur Lobby umgebaut und ihr Foyer zur Lounge. (Ironischerweise sprechen viele Menschen das Wort »Lounge« französisch aus – die Sehnsucht nach französischem Flair scheint noch nicht gänzlich erloschen.)

Das Kellergeschoss von Warenhäusern heißt nicht mehr Souterrain, sondern Basement. Dort befindet sich häufig die Weinabteilung, in der man hervorragenden kalifornischen Chardonnay bekommt – und Champagner, selbstverständlich. Der ist, wenn trocken, nicht mehr »sec«, sondern »dry«.

Wer heute ein Café eröffnet, nennt es vorausschauend »Coffeeshop«, denn die Amerikaner sind ja für ihren Kaffee berühmt. Wie auch für ihr Essen (»Food«), weshalb man heute nicht mehr von »Nouvelle Cuisine« spricht, sondern von »french cooking«. Vorab gibt's anstelle des Hors d'œuvre einen »Appetizer«. Machte man früher den Salat mit einer Soße oder Vinaigrette an, so bekommt er heute ein »Dressing« verpasst. Da selbst Hunde und Katzen ihr Fleisch bereits »in zarter Jelly« serviert bekommen, wird sich das französische Gelee wohl auch bei den Zweibeinern nicht mehr lange halten.

Wann waren Sie das letzte Mal in einer Boutique? Die wirklich angesagten Klamotten bekommt man heute im »Fashion Store«, und den wiederum gibt's in jedem Shopping-Center. Frankreich hat seinen Status als Mutterland der Haute Couture und der Prêt-à-porter-Modeschauen eingebüßt – heute heißt das »Fashion Week«. Da führen die Models, die früher Mannequins genannt wurden, nicht mehr knackige Dessous vor, sondern »hot underwear«. Frauen, die sich einst in »schicken Kostümen« zeigten, haben heute ein »stylishes Outfit«. Wer ehedem salopp oder leger gekleidet war, der trägt heute »casual wear«.

Auch die Hautevolee und die Crème de la Crème mussten sich einer Modernisierung unterziehen und nennen sich jetzt »Celebrities«. Und der liebe Gott? »Mon Dieu!«, wer sagt das noch, heute ruft man »Oh my God!«. Es besteht kein Zweifel: Gott lebt heute in Amerika. Von dort schrieb er mir kürzlich eine Karte: »Wow, es ist einfach cool hier! Fühle mich great! Jeden Tag Party und Fun! Alles viel relaxter als bei den Frenchies!« So ein Bullshit, hab ich gedacht und die Karte zerrissen.

Kommt »ausgepowert« aus dem Französischen?

Frage einer Leserin aus Potsdam: Ich habe mal gehört, dass das Wort »ausgepowert« gar nicht aus dem Englischen, sondern aus dem Französischen kommen soll. Ist das richtig?

Antwort des Zwiebelfischs: Das stimmt tatsächlich! Wider Erwarten geht das Wort »ausgepowert« nicht auf das englische Wort »power« zurück, sondern auf das französische Wort »pauvre«, welches »arm« bedeutet. Daher wurde es früher auch anders ausgesprochen, nämlich so, wie man es schreibt, mit einem »o« und einem »w«, ähnlich wie das deutsch-jiddische »ausbaldowern«, das »auskundschaften« bedeutet. Die in unseren Augen heute so englisch anmutende Schreibweise war in Wahrheit die Angleichung des deutschen Schriftbildes an den französischen Klang.

»Auspowern« hatte die Bedeutung »jemanden um sein Hab und Gut bringen«, »ausbeuten«, »ausplündern«, kurzum: »arm machen«. Im 19. Jahrhundert wäre es wohl niemandem eingefallen, »ausgepowert« mit einem »au«-Laut zu sprechen. Erst in den letzten Jahrzehnten hat sich dies geändert. Da unsere Sprache von englischen Begriffen völlig durchdrungen ist, nahm man an, dieses Wort müsse mit dem englischen »power« zusammenhängen – und sprach das »ow« wie »au«. Dadurch änderte sich auch die Bedeutung des Wortes. »Ausgepowert« heißt heute meist nicht mehr als »erschöpft«, »entkräftet«. Die ursprünglich viel weiter, nämlich an die materielle Existenz gehende Bedeutung ist verloren gegangen.

Eine ähnlich interessante Geschichte hat das Wort »schick«. Zwar geht es in seiner heutigen Bedeutung »modisch«, »hübsch« tatsächlich auf das französische Wort »chic«

zurück, doch ist dieses wiederum ein Lehnwort aus der deutschen Sprache. Dass etwas »schicklich« ist oder »sich schickt«, sagte man im Deutschen nämlich schon lange, bevor die Mode »chic« wurde. Das mittelniederdeutsche Wort »schick« stand für Gestalt, Form und Brauch, »schicklich« hat die Bedeutung »angemessen«, »geziemend«. Irgendwann galt es als unschicklich, schick zu sagen, das Wort geriet aus der Mode. Über das Elsass und die Schweiz gelangte es in den französischen Sprachraum, von wo aus es im 19. Jahrhundert als »chic« nach Deutschland reimportiert wurde, um dann wiederum zu »schick« eingedeutscht zu werden. »Schick« ist also ein deutsch-französisch-deutsches Wort, während »ausgepowert« ein französisch-deutsches Wort ist, das nachträglich anglisiert wurde.

Der Pabst ist tod, der Pabst ist tod!

Zu den bewegendsten Begebenheiten des Jahres 2005 zählen zweifellos das Sterben und der Tod des Papstes Johannes Paul II. Millionen haben ihn geliebt und verehrt, auch bei uns in Deutschland. Als er starb, war die Trauer groß. Ob der allgemeinen Bestürzung schien die deutsche Sprache zeitweise völlig durcheinander zu geraten.

Lange hat es gedauert, das Pontifikat Johannes Pauls II. Und lange währte auch das Siechtum dieses Papstes. Am 3. April 2005, einem Samstag, starb er, der von so vielen Menschen in aller Welt verehrte Mann. Manche nannten ihn respektvoll den »Jahrhundert-Papst«. Für die meisten war er aber einfach »der Papst«. Abgesehen von denjenigen, für die er immer »der Pabst« war.

Nicht nur Millionen Gläubige haben sein Sterben mit großer Anteilnahme begleitet, auch die Medien waren rund um die Uhr dabei. Immer wieder gab es Unterbrechungen laufender Sendungen und Live-Schaltungen nach Rom mit der bangen Frage: »Lebt er noch, oder ist er …?« Viele Reporter hatten Scheu, das Wort »tot« in den Mund zu nehmen, solange der Tod des Papstes noch nicht offiziell feststand. Das ist durchaus verständlich, man wollte ja nichts beschreien. Also warteten die Reporter gespannt auf die Verkündung, auf die amtliche Bekanntmachung. Einige warteten auch auf die »Verkündigung«. So nennt man – vor allem im theologischen Zusammenhang – eine feierliche Bekanntmachung, wie zum Beispiel die Verkündigung der Auferstehung Christi.

Kaum war der Papst tot, war die Scheu vor dem t-Wort wie weggeblasen, und »tot« war in aller Munde. Nun wurde der Papst sogar für jene Zeit zum Toten erklärt, in der er noch quicklebendig war. Ein Redakteur erinnerte sich an die

»vielen Länder, die der tote Papst bereist hat«. Doch ein toter Papst reist höchstens im Sarg. Die nachgereichte Korrektur »die der tote Papst *zu Lebzeiten* bereist hat« machte es nicht besser. Der Papst hat gelebt, aber »der tote Papst« ist nur eines: tot. Auf der Internetseite newsroom.de war der Papst allerdings fünf Stunden lang »tod«, bevor er endlich »tot« sein durfte. Dafür war er zuvor auch von anderen immer wieder als »totkrank« geschildert worden – wiewohl »todkrank« zweifellos zutreffender gewesen wäre (siehe Tabelle am Ende dieses Kapitels). Ein Blick in den Duden kann sich selbst im Angesicht des Todes noch als nützlich erweisen. Zumindest sollte man nicht davor zurückschrecken, wenn man über den Tod eines Menschen schreibt. Auch ein prüfender Blick auf nebeneinander gestellte Begriffe kann nicht schaden. In den letzten Tagen vor seinem Tod wurde der Papst häufig als »stark geschwächt« beschrieben. Ein unfreiwillig komisches Paradoxon, wenn man's genau nimmt. Demnach wäre jemand, dem es nach schwerer Krankheit wieder etwas besser geht, »schwach gestärkt«.

Prompt las man von »Pilgerern«, die zu Tausenden nach Rom strömten, um von Papst Johannes Paul II. Abschied zu nehmen. Ein Fehler, der übrigens immer wieder auftaucht und selbst renommierten Tageszeitungen unterläuft, wie die folgenden Beispiele zeigen:

»Mit Heiligenschein und segnend ausgebreiteten Armen steht er auf einer Weltkugel und begrüßt die Pilgerer.« (»Die Welt«, 6.12.2003)
»Auch Altbischof Hubert Luthe, der Begründer dieser Tradition, ließ es sich nicht nehmen, die Pilgerer zu begleiten.« (»WAZ«, 10.4.2004)
»Aus dem Bub in der Kapelle wird ein Paris-Pilgerer, ein unermüdlicher Reisender in der Weltliteratur.« (»Süddeutsche Zeitung«, 16.4.2004)

Es heißt »die Wanderer«, aber nicht »die Pilgerer«. Ein schlichtes »Pilger« genügt uns, sowohl im Singular als auch im Plural. Allein die weibliche Form hat – wie so oft – eine Silbe mehr und lautet »Pilgerin«. Wie die Pilger, so führen auch die Gläubigen in die sprachliche Verwirrung. Ein Radioreporter berichtete, »dass Zehntausende Gläubiger auf dem Petersplatz zusammengekommen sind«. Das ist zwar nicht falsch, aber missverständlich, denn im Genitiv fallen die Gläubigen mit den Gläubigern zusammen, und wer nicht rechtzeitig schaltete, konnte glauben, der Papst sei hoch verschuldet gestorben. Der Duden empfiehlt in diesem Fall, auf eine Konstruktion mit »von« auszuweichen: »Zehntausende von Gläubigen«.

Sie kämen, um dem Papst »die letzte Referenz zu erweisen«, sagte ein Sprecher des Fernsehsenders Phoenix. Er meinte aber bestimmt nicht die Empfehlung, sondern die Ehrerbietung. Die schreibt sich »Reverenz« und wird mit weichem »W«-Laut in der Mitte gesprochen.

»Alle wollen dem Papst kondolieren«, verkündete das Internetportal GMX in seiner Nachrichtenspalte. Kondolieren kann man aber schwerlich einem Toten. Das Wort »kondolieren« geht auf die lateinischen Wörter »con« (= mit) und »dolor« (= Schmerz, Leid) zurück. Kondolieren bedeutet also »mit jemandem leiden, den Schmerz mit jemandem teilen«. Man kondoliert in der Regel den Hinterbliebenen: der Witwe oder dem Witwer, den Kindern, den Angehörigen. Dem Verstorbenen selbst aber »erweist man die letzte Ehre«.

Nicht nur »kondolieren« hat es in sich, auch das Wort »Konklave« macht vielen zu schaffen. Die Kardinalsversammlung, die zur Wahl eines neuen Papstes zusammentritt, wird *das Konklave* genannt. Nicht etwa *die* Konklave und auch nicht *der* Konklave. Es mag zwar *die Enklave* und *die Exklave* heißen, aber das Wort »Konklave« ist sächlich. Was sich reimt oder ähnlich auslautet, muss nicht unbedingt gleichen Geschlechts sein. Zwar gehen Exklave und Konklave auf dasselbe lateinische Wort (clavis = Schlüssel) zurück, doch haben sie sich, zumindest hinsichtlich ihres Geschlechtes, unterschiedlich entwickelt.

An anderer Stelle war zu lesen, die Gläubigen würden in kilometerlangen Schlangen vor dem Petersdom ausharren, »in dem der Leichnam des Papstes aufbewahrt ist«. Nun ja, für die Tage bis zur Beisetzung mag das Verb »aufbewahren« zutreffend sein, obwohl dann doch »verwahren« vorzuziehen wäre, denn »aufbewahren« klingt allzu dinglich. Briefe kann man aufbewahren oder einen Gutschein, aber einen Leichnam? Im tiefsten Inneren seines Herzens wollte uns der Schreiber sicherlich etwas anderes mitteilen. Er wollte von der Aufbahrung berichten, nicht von der Aufbewahrung.

Ein herausragendes Beispiel mangelnder Pietät lieferte die »Bild«-Zeitung am 5. April. »Wer kriegt das Herz vom toten Papst?«, fragte sie sich laut auf der Titelseite. Das ist nicht nur geschmacklos in der Aussage, sondern auch noch grammatisch unsauber: *Vom Papst* hat man, solange er noch lebte, einen Eindruck »kriegen« (besser: erhalten oder bekommen) können, vielleicht auch die Vergebung der Sünden, einen gut gemeinten Ratschlag oder einfach einen Händedruck. Dass aber ein Papst, noch dazu ein toter, Herzen unters Volk geworfen hätte, ist in keiner noch so wüsten Sage überliefert. Befürchtete man bei der »Bild«-Zeitung, mit der grammatisch korrekten Formulierung »das Herz des toten Papstes« die Leser womöglich zu überfordern? Leider ist dies kein Einzelfall, der sich auf den Boulevard beschränkt. Gerade im Angesicht »vom Tod von Papst Johannes Paul II.« muss der Genitivus possessivus, der besitzanzeigende Wes-Fall, in fast allen Nachrichtenmedien ums Überleben kämpfen.

Johannes Paul II. ist tot. Doch er hat Spuren hinterlassen. Ob nun als Papst oder als Pabst. Möge er in Frieden ruhen.

»Tod« und »tot« in Zusammensetzungen	
als Adjektiv	als Verb
mundtot	totarbeiten
todblass, totenblass	totkriegen
todbringend	totlachen
todernst	totlaufen
todesmutig	totsagen
todkrank	tot sein
todlangweilig	totschießen
tödlich	totschlagen
todmüde	totschweigen
todschick	totstellen (auch: tot stellen)
todtraurig	tottrampeln
todunglücklich	tottreten

Vom Zaubermann zur Zauberfrau

Frage eines Lesers aus Aachen: Wie lautet die weibliche Form des Wortes Zauberer? Ist es eine Zauberin oder eine Zaubererin?

Antwort des Zwiebelfischs: Um die weibliche Form von einer männlichen Bezeichnung auf »-er« zu bilden, hängt man in der Regel die Silbe »-in« ans Ende. So wird der Lehrer zur Lehrerin, der Schüler zur Schülerin, der Reiter zur Reiterin und der Pilger zu Pilgerin. Wie jede Regel hat aber auch diese ihre Ausnahmen. Eine dieser Ausnahmen sieht in wenigen Fällen eine Umlautung vor, so wie bei Bauer und Bäuerin, Schwager und Schwägerin, und eine andere Ausnahme betrifft die männlichen Formen, die mit einem doppelten »er« enden. Bei der Bildung der weiblichen Form fällt das zweite »er« nämlich weg. Der Zauberer verwandelt sich also nicht in eine Zaubererin, sondern in eine Zauberin. Und der Wanderer wird zur Wanderin, genau wie der Förderer zur Förderin. Das lässt sich mit Sprachökonomie begründen. Denn die Wörter »Wandererin«, »Zaubererin« und »Fördererin« sind nicht gerade leicht zu sprechen; wenn man nicht ganz langsam und deutlich artikuliert, geht die vorletzte Silbe in einem knurrenden Gurgeln unter. Da kann man sie ebenso gut weglassen. Und so hat man's dann auch getan.

Neben dem Zauberer und der Zauberin gibt es übrigens auch noch den Zaubrer und die Zaubrerin, genau wie auch den Wandrer und die Wandrerin. Diese Formen sind allerdings nur noch selten anzutreffen, hauptsächlich in Märchen und Gedichten. »Harry Potter«-Lesern stellt sich die Frage nach der korrekten femininen Form des Wortes Zauberer übrigens nicht. Die wissen: Das weibliche Pendant zum Zauberer ist – ganz klar – eine Hexe!

Lauter Erbauliches über laut

Die Fronten sind seit Jahren erstarrt. Auf der einen Seite stehen die Genitivisten in ihren bunten Uniformen, auf der anderen Seite die Dativisten mit ihren Federbuschhelmen. Über Stacheldraht und Gräben hinweg rufen sie sich zu: »Laut eines!« – »Laut einem!« Und dann werfen sie mit Fibeln und Grammatikbüchern. Ein Ende des Kampfes ist nicht abzusehen.

Überraschung für alle Genitiv-Muffel: Die Präposition »laut« regiert den Genitiv! Ihr glaubt es nicht? Es ist aber wirklich so! Es heißt »laut des Berichtes«, ebenso »laut eines Papiers aus dem Ministerium« und außerdem »laut Ihres Schreibens vom soundsovielten«.

Allen Genitiv-Freunden dürfte diese Information Genugtuung bereiten. Doch damit ist das Thema nicht vom Tisch. Im Gegenteil. Der Kasuskrieg tobt erbittert weiter. Die Dativ-Anhänger sind auf dem Vormarsch, und sie haben gute Argumente, die nicht so einfach von der Hand zu weisen sind. Zum Beispiel sagen sie, dass sinnverwandte Präpositionen wie »gemäß«, »entsprechend« und »zufolge« allesamt den Dativ regieren: entsprechend dem Bericht, gemäß dem Beschluss der Regierung, seinem Plan zufolge … Warum also nicht auch »laut«? Man täte der deutschen Sprache doch eher einen Gefallen, wenn man hier für Einheitlichkeit sorgte. Gab es zu diesem Thema nicht sogar ein Buch eines gewissen Bastian Sick mit dem Titel »Tod dem Genitiv! Es lebe dem Dativ!« – oder so ähnlich?

Und nun, liebe Genitiv-Freunde, haltet euch fest: Laut Duden ist hinter »laut« auch der Dativ erlaubt! Es ist also nicht falsch, »laut dem Bericht« zu sagen, auch »laut einem Papier« und »laut Ihrem Schreiben« sind zulässig.

Grabenkämpfe zwischen Genitiv- und Dativ-Anhängern

sind berüchtigt. Im Falle der Präposition »wegen« zieht sich der Kampf schon seit Generationen hin, und auch wenn »wegen dem« in der gesprochenen Sprache über »wegen des« gesiegt hat, so gilt der Genitiv hier nach wie vor als standardsprachlich. »Wegen dem« kann man sagen, aber schreiben sollte man es nicht.

Anders verhält es sich mit »laut«. Da haben es die Dativ-Anhänger bereits erreicht, dass auch im Schriftdeutsch der Gebrauch des Dativs gestattet ist. Es bleibt also jedem selbst überlassen, sich seinen Kasus hinter »laut« frei zu wählen. Gemäß dem Shakespeare'schen Motto: Was ihr wollt!

Übrigens: Steht »laut« direkt vor einem einzelnen Hauptwort im Singular, ohne Artikel oder Attribut, dann wird dieses Hauptwort überhaupt nicht gebeugt. Dann heißt es flexionslos: laut Gesetz, laut Bericht, laut Befehl, laut Zwiebelfisch. Man braucht also nur den Artikel zu streichen, schon herrscht Waffenstillstand zwischen Genitiv- und Dativ-Anhängern.

Doch worum geht es in diesem Krieg überhaupt? Um die Auslöschung des Genitivs? Um die Zurückdrängung des anscheinend übermächtig gewordenen Dativs? Nein, darum geht es gar nicht – in Wahrheit geht es um die Rettung der Grammatik. Welcher Kasus nun bevorzugt wird, ist zweitrangig – Hauptsache, es findet überhaupt noch eine Beugung statt!

Und nun kommt das Beste: Steht »laut« direkt vor einem (stark gebeugten) Hauptwort im Plural, ohne einen Artikel oder ein Attribut dazwischen, dann ist der Dativ gefordert – als Retter des Genitivs! Denn der Genitiv selbst unterscheidet sich im Plural nicht von Nominativ und Akkusativ, sehen Sie selbst: die Briefe, der Briefe, den Briefen, die Briefe – der einzige Kasus mit erkennbarer Veränderung ist hier der Dativ: den Briefen. Daher heißt es: laut Briefen – nicht um dem Genitiv eins auszuwischen, sondern weil der Genitiv einfach nicht kompliziert genug ist! Der Dativ beugt sich ein Stück weiter – daher erhält er den Zuschlag.

Übrigens: Laut Wörterbuch kann die Präposition »laut« nur vor einem Hauptwort stehen, das etwas Gesprochenes oder Geschriebenes wiedergibt. Also nicht »laut Bauplan« oder »laut Zeichnung« (und entsprechend wohl auch nicht »laut Malerei«, obwohl es ja die Lautmalerei gibt). Da kommt man aber ins Grübeln: Demnach müsste nämlich auch »laut Herrn Müller« nicht korrekt sein, denn Herr Müller mag zwar viel Gesprochenes oder Geschriebenes von sich geben, doch ist er selbst immer noch ein Mensch aus Fleisch und Blut. Also nur »laut Anweisung von Herrn Müller«? Und was ist mit all den vielen »laut Bundeskanzler Schröder« und »laut Präsident Bush«, die man täglich in den Nachrichten findet? Die Definition muss wohl etwas erweitert werden: »laut« darf auch vor Personen stehen, die die Quelle der Verlautbarung sind. Zum Beispiel: »laut des Sprechers« oder »laut dem Sprecher« – oder kurz: »laut Sprecher« (nicht zu verwechseln mit Lautsprecher).

Wer hinter »laut« Personen erlaubt, der muss auch Pronomen erlauben. Doch wie heißt es richtig, lieber Zwiebelfisch? »Laut ihm« oder »laut seiner«? Klingt der Genitiv hier nicht reichlich ungewöhnlich? Gestelzt und antiquiert? Tja – wofür würden Sie sich entscheiden? Ring frei für die nächste Runde: Der Genitiv ist noch längst nicht so tot, wie der Dativ ihm gern hätte!

Wie baut man einen Türken?

Frage einer Leserin: Immer wieder stolpere ich in der Presse über die Bezeichnung »getürkt«, wenn es um Betrug und Fälschung geht. Zum Beispiel in einem Artikel über einen ins Zwielicht geratenen deutschen Wissenschaftler. Darin heißt es: »Zunächst für den Nobelpreis vorgeschlagen und dann zum Scharlatan erklärt: Nach zehn Jahren verliert ein Bonner Chemiker seinen Doktortitel wegen getürkter Experimente.« Dafür hätte ich gerne eine verständliche Erklärung. Nicht dafür, dass man dem Chemiker den Titel aberkennt, sondern für die Verwendung des Wortes »getürkt«. Man will doch nicht allen Ernstes Türken mit Fälschern gleichsetzen?

Antwort des Zwiebelfischs: Der Ausdruck »etwas türken« geht zurück auf die Redewendung »einen Türken bauen« (älter auch: »einen Türken stellen«) und bedeutet tatsächlich »fälschen«, »fingieren«. Im Herkunftswörterbuch aus dem Dudenverlag steht, dass die Etymologie des Wortes trotz aller Deutungsversuche ungeklärt sei. Zwei dieser Deutungsversuche findet man im »Lexikon der populären Sprachirrtümer« von Walter Krämer und Wolfgang Sauer*.

Dort heißt es, dass bei der Einweihung des Nord-Ostsee-Kanals (damals noch »Kaiser-Wilhelm-Kanal« genannt) im Jahre 1895 alle durchfahrenden Schiffe mit der jeweiligen Nationalhymne ihres Landes begrüßt wurden. Als ein Schiff mit der Fahne des Osmanischen Reiches auftauchte, war der Dirigent ratlos, denn man hatte keine Noten einer türkischen Hymne. Um nicht unhöflich zu erscheinen, intonier-

---

* Krämer, Walter/Sauer, Wolfgang: »Lexikon der populären Sprachirrtümer«. Eichborn Verlag, Frankfurt am Main 2001.

te das Orchester stattdessen »Guter Mond, du stehst so stille« – inspiriert vom Halbmond auf der Fahne. Daraus soll sich die Redensart »einen Türken bauen« entwickelt haben.

Die andere Erklärung geht ins 18. Jahrhundert zurück und bezieht sich auf einen Schachautomaten, den ein gewisser Baron Wolfgang von Kempelen gebaut hatte. Dabei handelte es sich um eine Art Kommode, an die eine orientalisch gekleidete Puppe montiert war. Dieser Automat gewann fast alle Partien, aber freilich nicht durch Zauberei, sondern durch einen raffinierten Trick: Im Inneren hielt sich ein Schachmeister versteckt, der seine Figuren über Hebel bewegte. Nachdem der Schwindel aufgeflogen war, wurde der Ausdruck »einen Türken bauen« zum Sinnbild für »tricksen« und »fälschen«.

Ob eine dieser Erklärungen der tatsächlichen Herkunft des Wortes »türken« entspricht, ist nicht erwiesen. Sicher ist jedoch, dass »türken« nichts mit einem Völkerklischee zu tun hat. Der Ausdruck gilt allerdings als umgangssprachlich, von seiner Verwendung in Nachrichtentexten ist daher abzuraten.

Weltsprache Deutsch

Deutschland exportiert nicht nur Autos, Bier und Kuckucksuhren, sondern auch Teile seiner Sprache. Im Bulgarischen kennt man das Wort »schteker«, im Russischen den »schlagbaum«, in der Ukraine »feijerwerk« und in Chile die »bierstube«. Deutsche Wörter sind über die ganze Welt verstreut.

Nicht selten kommt es im Ausland zu denkwürdigen Begegnungen mit der deutschen Sprache. Damit sind hier nicht die eigenwilligen Kreationen gemeint, wie man sie auf Speisekarten in Urlaubsländern findet, so wie »Huhn besoffen mit Getränke« oder »Tintenfisch kochte mit Allen« oder »Bewegte Eier mit Schurken«. Gemeint sind deutsche Wörter, die von fremden Kulturen importiert, abgekupfert, geborgt oder, vornehmer ausgedrückt: entlehnt worden sind – weshalb sie auch Lehnwörter genannt werden. Davon gibt es mehr, als man denkt.

Die Gesellschaft für deutsche Sprache (GfdS) hat im letzten Jahr damit begonnen, deutsche Wörter in anderen Sprachen zu erfassen. In einer Pressemitteilung wandte sie sich an die Öffentlichkeit und rief dazu auf, deutsche Wörter, die in fremden Sprachen gebraucht werden, einzuschicken. Das Echo war überwältigend: In den folgenden Wochen und Monaten gingen insgesamt rund 7500 Vorschläge von 450 Teilnehmern aus aller Welt bei der GfdS ein. Einige schickten ein einzelnes Wort, das sie irgendwo aufgeschnappt hatten, andere sandten umfangreiche Listen ein, die sie über Jahre zusammengestellt und mit Beispielen gefüllt hatten.

In der »Zwiebelfisch«-Kolumne »Deutsch als Amtssprache der USA« ging es bereits um deutsche Wörter, die ins Englische aufgenommen worden waren. Wenn man beim Betreten eines klimaanlagengekühlten Geschäfts in den

USA plötzlich niesen muss, kann es passieren, dass einem ein freundliches »gesundheit!« zugerufen wird. Und während in den letzten Jahren immer mehr Deutsche Halloween feiern, findet in immer mehr amerikanischen Städten ein »oktoberfest« statt. Englisch ist vermutlich die Sprache mit den meisten deutschen Wörtern. Aber sie ist bei weitem nicht die einzige. Deutsche Wörter findet man fast überall, vom Nordkap bis zum Kap der guten Hoffnung, vom Roten Platz bis zur Copacabana.

Die Dänen benutzen den Ausdruck »salonfaehig«, in den Niederlanden kennt man das Wort »fingerspitzengefühl«, in Bulgarien das »zifferblatt« und im Koreanischen »autobahn«*. Aus Somalia wurden die Wörter »shule« und »kaputi« gemeldet. In Russland kennt man deutschstämmige Wörter wie »butterbrot«, »durschlag« und »kompott«. Nicht zu vergessen den »riesenschnauzer« – Hundenamen rangieren auf der Liste der deutschen Exportwörter ganz oben. Mit den Hundenamen haben wir auch gleich die dazugehörigen Kommandos exportiert: »Platz!«, »Sitz!«, »Pass auf!«, »Hopp«, »Such!« und »Pfui« gibt es im Englischen und im Russischen.

Ebenfalls weit verbreitet sind kulinarische Begriffe aus dem Deutschen. Die Russen und die Serben kennen das Wort »krumbeer«, gewissermaßen eine Weiterzüchtung der in Südhessen, Rheinland-Pfalz und Baden-Württemberg beheimateten Grundbirne, einer regionalen Bezeichnung für die Kartoffel. Sowohl in Italien als auch in Chile gibt es »strudel«. Die Briten züchten »kohlrabi«, die Türken braten »snitzil«, und unsere beliebten Bratwürste sind als »bratwurst«, »wurstel« oder »wirstle« gleich von mehreren Sprachen übernommen worden. Ebenso »kuchen«, »pumper-

---

* Wörter aus Sprachen, die keine lateinische Schrift verwenden, werden in diesem Text in der transkribierten Form wiedergegeben, wie sie auch von der GfdS verwendet wurde.

nickel«, »wiener« und »zwieback«. Am erfolgreichsten sind allerdings Metalle und Mineralien: »Nickel« und »Quarz« kommen nach Auskunft der Dudenredaktion in mindestens zehn verschiedenen Sprachen vor, »Gneis« und »Zink« noch in neun. Was nicht heißt, dass sie häufiger gebraucht würden als die »essbaren« Begriffe.

Viele der deutschen Exportwörter lassen interessante Rückschlüsse auf die Wahrnehmung der deutschen Kultur durch andere Völker zu. Man importiert ja für gewöhnlich nur etwas, das man selbst nicht hat, und man importiert es von dem, der als Erster damit auf dem Markt war oder der am meisten davon zu bieten hat. So sind wir natürlich stolz darauf, dass das deutsche Wort »kindergarden« ein Welterfolg geworden ist. Nicht minder freuen wir uns über die wundervollen Wörter »wirtschaftswunder« und »wunderkind«. Auch auf den Exportschlager »autobahn« sind wir stolz, wobei wir die Entstehungszeit dieses Wortes gnädig ausblenden. Dass man in Griechenland das Wort »volkswagen« stellvertretend für alle Kleintransporter verwendet, erscheint uns wie eine Auszeichnung.

Und wie schwillt uns erst der Kamm angesichts der Tatsache, dass ausgerechnet die Japaner, berühmt für ihren Fleiß, ein Wort namens »arubaito« haben, das unverkennbar auf das deutsche Wort Arbeit zurückgeht! Haben wir nicht immer gewusst, dass die Arbeit in Deutschland erfunden wurde? Ja, wir Deutschen sind Spitze, das steht außer Frage. Wir haben der Welt »sauerkraut«, »gemuetlichkeit« und »fahrvergnuegen« geschenkt, von uns haben die anderen den »walzer«, das »lied« und den »rucksack«. Und wir waren die Ersten, die sich laut und besorgt über das Waldsterben Gedanken machten, sodass »le waldsterben« im Französischen zum Inbegriff für deutsche Öko-Hysterie wurde.

Das ist aber nur die eine Seite der Medaille. Auf der anderen Seite findet man etliche Begriffe, die einen doch stutzig machen. Was sagt es über uns Deutsche aus, wenn sich die Finnen von uns das Wort »besserwisser« ausleihen, die Schweden dazu noch den »streber«, und die Kanadier den »klugscheisser«? Was haben wir davon zu halten, dass man im Tschechischen das Wort »sitzflaijsch« und im Polnischen den Begriff »hochsztapler« findet? Die Ernüchterung folgt auf dem Fuße: Das Wort »arubaito« steht im Japanischen nicht etwa für reguläre Arbeit, sondern bezeichnet Teilzeitarbeit und Aushilfstätigkeit. Da erscheint die fernöstliche Reputation des Deutschen doch gleich in einem anderen Licht.

Trösten wir uns mit einem *schnaps*, den kennt man nämlich fast überall auf der Welt.

E-Mail for you

Das wird viele überraschen: Die Annahme, dass Rechtschreibung beim E-Mail-Schreiben keine Rolle spiele, ist falsch! Und Smileys ersetzen keine Interpunktion. Wie viel »Re: AW: Re: AW: Hallo!« verträgt ein Mensch am Tag? Was gehört in die Betreffzeile? Und wofür steht eigentlich LOL? Ein paar Gedanken über Form und Inhalt von E-Mails.

Es besteht kein Zweifel: E-Mail hat unser Leben verändert. Als die Post noch ausschließlich auf dem Landwege verschickt wurde, bekam man frühestens nach zwei Tagen eine Antwort. Dank E-Mail ist heute die Antwort oft schon nach wenigen Minuten da. Ob vom Kollegen, der nur ein paar Zimmer weiter sitzt, oder vom Freund aus der Schweiz – die Entfernung spielt keine Rolle mehr. E-Mail ist zu einer Form der schriftlichen Kommunikation geworden, die aus dem Alltag, insbesondere dem Büroalltag, nicht mehr wegzudenken ist und die klassische Form des Briefschreibens in weiten Teilen abgelöst hat.

Eine Bekannte hat mir unlängst berichtet, dass sie auf einem Postamt war, um eine einzelne schöne Briefmarke zu kaufen. Der Schalterbeamte sagte ihr, sie müsse entweder gleich einen ganzen Bogen mit zehn Stück erwerben oder sich mit einer Marke aus dem Automaten begnügen. Einzeln würden Briefmarken nicht mehr verkauft. So weit ist es also schon gekommen. Dies ist zweifellos eine Folge des E-Mail-Verkehrs, der parallel zur Ausbreitung des Internets in den letzten zehn Jahren rasant zugenommen und immer weitere Bevölkerungsteile für die Teilnahme an der elektronischen Kommunikation gewonnen hat.

Wenn die Elektro-Post den traditionellen Briefverkehr derart zurückgedrängt hat, dass das klassische Hobby des

Briefmarkensammelns zum Aussterben verurteilt ist, ist es zweifellos angebracht, sich über Form und Inhalte von E-Mails Gedanken zu machen. Das Verschicken von Post über das Internet mag sehr viel einfacher, schneller und auch billiger geworden sein als auf dem Landweg, aber das heißt nicht, dass sämtliche Regeln des traditionellen Briefverkehrs außer Kraft gesetzt sind.

Die oder das E-Mail, da fängt das Problem schon einmal an. Millionen Menschen im deutschsprachigen Raum verschicken tagtäglich Millionen von E-Mails, und die meisten sind sich nicht einmal über das Geschlecht dieser Kommunikationsform im Klaren*. Ganz zu schweigen von der korrekten Schreibweise: kleines »e« oder großes »E«, in einem Wort geschrieben oder mit Bindestrich? Ich empfehle in solchen Fällen stets, sich an bestehenden Schreibweisen zu orientieren: die U-Bahn, der O-Saft, das A-Hölzchen**, die E-Musik – das würde schließlich auch niemand in einem Wort schreiben. Folglich auch nicht die E-Mail, sonst läse es sich wie das Wort Email, und das hat eher etwas mit Kochtöpfen und Badewannen und weniger mit elektronischer Kommunikation zu tun. Auch der Duden lässt für die elektronische Post allein die Schreibweise E-Mail zu. Die oft gesehenen Varianten eMail und e-Mail sind somit offiziell aus dem Rennen um den »Grand Prix der Orthografie«.

* In der Standardsprache hat sich die weibliche Form durchgesetzt; in Süddeutschland, Österreich und der Schweiz wird daneben sehr häufig auch die sächliche Form verwendet. Der Duden lässt beides zu.
** Holzspan, den der Arzt zum Herunterdrücken der Zunge bei der Untersuchung von Mund und Rachenraum verwendet, während der Patient »Aaaah« sagt.

Sinn und Nutzen der Betreffzeile

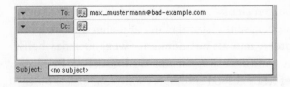

Die Erfinder der E-Mail haben die wunderbare Idee gehabt, jeder E-Mail eine sogenannte Betreffzeile zuzuweisen. Stellen Sie sich vor, so etwas hätte es im klassischen Briefverkehr bereits gegeben – ein Vermerk auf dem Umschlag, der den Inhalt des Schreibens bezeichnet: »Betrifft: Mahnung!« oder »Betrifft: Beschwerde!«. Wie viel umständliches Öffnen von Briefumschlägen hätte man sich da sparen können! Die Betreffzeile macht es für den Empfänger leichter, die E-Mails in seinem elektronischen Postfach zu verwalten, sprich: Sie hilft ihm zu entscheiden, ob die Mail es überhaupt wert ist, geöffnet zu werden, oder ob sie nicht gleich gelöscht werden kann.

Den Schreibenden indes stellt die Betreffzeile bisweilen vor unlösbare Probleme. Denn er ist aufgefordert, seinen Worten eine Überschrift zu geben, den Kern seiner eigenen Mitteilung zu erfassen, die Quintessenz aus seinem Anliegen zu ziehen. Viele sind damit überfordert und schreiben einfach nur »Hallo« oder gar nichts.

Das ist freilich kein Verbrechen, doch muss man angesichts der enormen Werbeflut, die heute elektronische Postfächer zu verstopfen pflegt, damit rechnen, dass eine E-Mail mit leerer Betreffzeile gar nicht erst geöffnet, sondern vom Empfänger ungelesen gelöscht wird.

Anrede und Signatur

Einige E-Mail-Schreiber fallen grundsätzlich mit der Tür ins Haus – sie verzichten auf die Anrede und kommen gleich zur Sache. In privater Korrespondenz mag das noch angehen, im Geschäftsverkehr ist dies jedoch ziemlich unschicklich. Für ein »Hallo!« oder »Guten Tag!« sollte es auch bei einer eiligen Mail noch reichen.

Auch wenn die E-Mail an eine gesichtslose Adresse wie kundenservice@warehouse.com oder webmaster@yoursite.de geht und möglicherweise mit einer automatisch generierten Eingangsbestätigung erwidert wird, so gilt doch: Es sind Menschen, die diese E-Mails öffnen, lesen und bearbeiten, keine Maschinen. Menschen wie du und ich, die ein höfliches »Sehr geehrte Damen und Herren« bestimmt nicht verachten.

Wie viel sollte man von seiner Anonymität preisgeben, wenn man sich zum ersten Mal an jemanden wendet? Niemand erwartet wahrheitsgetreue Angaben über Alter und Körpermaße des Absenders, und erst recht will niemand gleich in der ersten Mail die komplette Lebensgeschichte eines Menschen lesen müssen. Doch ein vollständig ausgeschriebener Name wäre schon mal ganz nett. Wer seine Mail nur mit »U. Kronstadt« unterzeichnet, also nicht mit »Ihr« oder »Ihre« U. Kronstadt, der stellt den Empfänger vor ein Rätsel. Verbirgt sich hinter diesem U. ein Ulrich oder eine Ulrike? Ein Uwe oder eine Ute? Wie soll man da die Antwort beginnen? »Sehr geehrte(r) Herr/Frau Kronstadt?« Es bedeutet eine unnötige Verlegenheit, einem unbekannten E-Mail-Schreiber antworten zu müssen, der nicht einmal sein Geschlecht zu erkennen gibt.

Die meisten E-Mail-Programme bieten heute die Möglichkeit, jedem Schreiben eine automatische Signatur anzuhängen, komplett mit »herzlichen Grüßen«, dem vollständigen Namen, sämtlichen akademischen Titeln, mit Telefonnummer, Handynummer, Faxnummer, Büroanschrift, Privatanschrift, Firmensitz, Abteilungszugehörigkeit, Homepage, Skyper, Lebensmotto – alles, was das Herz begehrt. Hier sollte man sich auf das Wichtigste beschränken. Oder die Signatur ganz löschen – vor allem, wenn man seinen Freunden schreibt. Wie sieht das sonst aus? Urteilen Sie selbst:

Hallo Suse-Schnute
Ich freue mich auf dich!
Bis später,
dein Larsi-Hasi

Mit freundlichen Grüßen
Lars Winterfjord

Dr. Lars-Jakob Winterfjord
Hitzboehm-Entertainment
Konzeption/Marketing
10247 Berlin
Germany

Hitzboehm – ein Unternehmen der Prime Time Group Ltd.
»We make your party swing!«

Fon: 0049-30-xxxxx
Fax: 0049-30-xxxxx
Mob: 0049-179-xxxxxx

www.hitzboehm.com

Re: AW: Re: AW: Re: AW: Anfrage!

Gepriesen sei der Erfinder der Antwort-Funktion! Es steht außer Frage, dass es ungemein praktisch ist, zur Beantwortung einer E-Mail lediglich auf den »Antwort«-Button klicken zu müssen, und schon öffnet sich auf dem Bildschirm eine neue E-Mail-Maske. Der Adressat wird automatisch eingetragen, dem Betreff ist ein »AW:« (für Antwort) oder ein »Re:« (für Reply) vorangestellt, man verliert also keine Zeit und kann sofort »in die Tasten hauen«. Manche E-Mails wandern wie Pingpongbälle wieder und wieder zwischen den kommunizierenden Personen hin und her, jedes Mal wird die Betreffzeile um ein »Re:« oder »AW:« länger. Leider wird auch der Text der E-Mail jedes Mal länger, weil alle vorangegangenen Hin- und Her-Mails hinten dranhängen. Die meisten E-Mail-Programme sind nämlich so eingerichtet, dass beim Klicken auf die Antwort-Funktion auch der Text der E-Mail, auf die man antworten will, in der Antwortmaske erscheint, je nach Einstellung mit einem »>«-Zeichen am Zeilenanfang versehen. Meistens setzt der Schreibende den Antworttext einfach darüber. Das ist allerdings nicht unbedingt logisch. Denn wir lesen von links nach rechts und von oben nach unten. Die Antwort gehört also unter den Ursprungstext, nicht darüber. Bei der Gelegenheit bietet es sich an, den automatisch kopierten Text (das sogenannte Zitat) auf die Aussage zu verkürzen, auf die man wirklich Bezug nimmt. Kürzen und Löschen gilt im E-Mail-Verkehr keinesfalls als unhöflich, im Gegenteil!

Stellen Sie sich vor, Sie kommunizieren mit einem Anbieter, fragen ihn, ob er ein bestimmtes Produkt hat, er schreibt in seiner Antwort »Muss ich mal nachsehen«, Sie schreiben zurück »Okay, tun Sie das, vielen Dank!«, er meldet sich mit »Re: AW: Re: Anfrage«: »Nein, den Artikel habe ich leider nicht vorrätig«, Sie fragen ihn, ob er ihn bestellen könne, er erwidert, das dauere aber mindestens drei Wochen, Sie fragen, ob er Ihnen vielleicht sagen könne, bei wem man dieses Produkt sonst beziehen könne, er schreibt, versuchen Sie es mal bei dem und dem, Sie fragen nach einer Telefonnummer, er schreibt sie Ihnen samt Anschrift und E-Mail-Adresse, Sie klicken erfreut auf »E-Mail drucken«, um sich die Angaben auszudrucken, und der gequälte Drucker braucht vier Minuten und fünf Blatt Papier, um eine einzige E-Mail auszuspucken, die aus rund einem Dutzend miteinander verschmolzener »Re: AW: Re: AW:«-Mails besteht. Fünf Blatt Papier für eine Telefonnummer! Von den Kosten für Druckertinte ganz zu schweigen. Das Erstellen eines Antwortformulars kostet uns nur einen Mausklick, aber es nimmt uns nicht das Nachdenken darüber ab, ob der empfangene Text wirklich nochmal in Gänze mitverschickt werden muss.

Schöne bunte HTML-Welt!

Früher bekam man bisweilen Briefe, die mit Oblaten verziert waren. Kennen Sie das noch? So wunderbar kitschige Klebebildchen von Engeln oder Hundebabys, die links oben in der Ecke oder am unteren Rand appliziert wurden, manchmal auch mitten auf der Seite, wenn es galt, einen peinlichen Fehler zu kaschieren oder den dürftigen Inhalt zu strecken, damit die Seite irgendwie gefüllt wurde.

Heute bekommt man gelegentlich E-Mails, in die lustige Comiczeichnungen einmontiert sind. Vorzugsweise animiert, das heißt, sie bewegen sich, so wie die Personen auf den Fotos und Gemälden in »Harry Potter«. In der Weihnachtszeit, zu Ostern und zum Geburtstag ist es am schlimmsten. Nichts ahnend öffnet man die Mail, die mit »Frohe Weihnachten!« oder »Herzlichen Glückwunsch!« überschrieben ist, und – zack – springt einem ein winkender Weihnachtsmann ins Gesicht, oder ein gar *luustisches* Glückshäschen schlackert mit den Ohren. Man erschrickt, und reflexartig klickt man die E-Mail wieder zu. Und ob man den Mut aufbringt, sie später noch einmal wieder zu öffnen, um die eigentliche Grußbotschaft zu lesen, ist äußerst fraglich.

Immer mehr Menschen entdecken die Möglichkeiten! Nicht die, die ihnen der Ikea-Katalog verheißt, sondern die Möglichkeiten, ihre E-Mails mit Hilfe von HTML-Befehlen zu »verschönern«. Da kann man für seine E-Mail zum Beispiel eine ganz individuelle Hintergrundfarbe wählen. Oder am besten gleich eine Mustertapete. Nicht selten wird in diesem kreativen Rausch jedoch versäumt, die Schriftfarbe auf den Hintergrund abzustimmen. Schwarze Buchstaben vor einem moosgrünen oder einem marineblauen Hintergrund sind nicht besonders gut zu erkennen. Es kann passieren, dass sie überhaupt nicht zu erkennen sind und der Text erst sichtbar wird, wenn man mit gedrückter linker Maustaste suchend über den Hintergrund fährt und alles markiert. Das erinnert an die Zeit, als man sich Briefe mit unsichtbarer Zaubertinte schrieb, die nur mit Hilfe eines Bügeleisens sichtbar wurde: »Generation Yps mit Gimmick« lässt grüßen!

Jeder Mensch hat seine persönliche Schmerzgrenze. Bei einigen beginnt sie dort, wo es im buchstäblichen Sinne »zu bunt« wird. Manchmal hilft dann nur noch ein Klick auf den »Löschen«-Button.

Abkürzungen

Lol! Lol, lol, lol! Lollen Sie auch so gerne? Jeder Mensch sollte wenigstens einmal am Tag herzhaft gelollt haben, denn der chinesische Volksmund weiß: Ein Tag ohne Lol ist ein vellolenel Tag! Sie wissen nicht, wovon ich spreche? Ich wusste es bis vor kurzem selbst nicht. Dabei werden tagtäglich zigtausende E-Mails verschickt, in denen es vor »Lol« nur so wimmelt. »Lol« ist eine der vielen im elektronischen Verkehr gebräuchlichen Abkürzungen und bedeutet »laugh out loud«, zu deutsch: lauthals lachen. Oder, um es in der Comicsprache zu sagen: lautlach! »lol« ist die Vorstufe zum berüchtigten Smiley. Früher waren Briefe von Mädchen gefürchtet, die über jedes »i« ein Herzchen malten. Heute lacht und kichert und zwinkert es aus zahllosen E-Mails, dass einem ganz blümerant wird.

Das seit Jahrzehnten völlig vernachlässigte Satzzeichen Semikolon hat durch die E-Mail eine ungeahnte Renaissance erfahren. Kaum eine Mail, in der nicht mindestens ein Satz mit der Tastenkombination Semikolon, Divis, runde Klammer endet. Wenn man den Kopf zur Seite neigt und dieses Zeichen in der Horizontalen betrachtet, kann man darin mit ein wenig Phantasie ein verschmitzt lächelndes Gesicht mit einem zwinkernden Auge erkennen. Dieser Zwinker-Smiley erfüllt die Funktion der Ironie-Warnlampe und bedeutet: Achtung, das, was ich eben geschrieben habe, war ein Scherz! Bitte nicht missverstehen!

Wissen Sie, was »mfg« heißt? Es ist das am häufigsten zu lesende Wort am Ende von E-Mails. Drei zusammengeschriebene kleine Buchstaben: m-f-g. Aus Donald-Duck-Comics kennt man lautmalerische Wörter wie »sprotz«, »börks« und »grumpf«, aber »mfg« ist neu. Das heißt, so neu nun auch wieder nicht, das gab es auch schon im Telex-Zeitalter, als man die sehr geehrten Damen und Herren noch zeichen- und kostensparend mit »sgduh« anschrieb, aber zu einem Massenphänomen wurde »mfg« erst dank E-Mail. Es handelt sich um eine Abkürzung und bedeutet »Mit freundlichen Grüßen«. Daneben gibt es noch »lg«, das ist noch kürzer und bedeutet »lieber Gruß« oder »liebe Grüße«. Wie viel aber kann man auf die Freundlichkeit des Absenders geben, wenn er sich nicht mal die Zeit nehmen mochte, das Wort »freundlich« auszuschreiben? Er braucht die »freundlichen Grüße« ja nicht einmal mehr Buchstabe für Buchstabe zu tippen, wir leben schließlich im Zeitalter elektronischer Textverarbeitung, wo man Sätze und Phrasen, ja ganze Textbausteine nur zu markieren braucht, um sie in einen neuen Text einzufügen. Ein Programm wie »Word« zum Beispiel verwandelt »mfg« heute außerdem ganz von selbst in die Langfassung. Ein kopierter freundlicher Gruß ist weniger unschicklich als ein abgekürzter.

Beim Verschicken von Kurznachrichten übers Mobiltelefon (kurz: Simsen) sind solche Abkürzungen freilich kein Makel. Auch beim Chatten stören sie nicht. SMS und Internet-Chat sind andere Medien, für die andere Regeln und Sachzwänge gelten. In diesem Kapitel geht es ausschließlich um E-Mail.

Wenn »mfg« für »Mit freundlichen Grüßen« und »lg« für »liebe Grüße« steht, dann müsste »fg« eigentlich für »freundliche Grüße« stehen. Könnte man meinen. Seltsamerweise findet man die Abkürzung »fg« aber nie am Ende der Mail, sondern mittendrin. Doch seit wann verabschiedet man sich mitten im Satz? Die Abkürzung »fg«, oftmals zwischen Sternchen gesetzt (*fg*), steht für »freches Grinsen«, kurz »frechgrins«, es handelt sich also nicht um eine Grußformel, sondern um ein Mitglied aus der Familie der »lol«-Wörter, das sich vom Internet-Chat in den E-Mail-Verkehr ausgebreitet hat. »Frechgrins« erfüllt dieselbe Funktion wie Semikolon, Divis, runde Klammer: He, Mann, war nur Spaß ;-)

In privater Korrespondenz darf jeder selbstverständlich so viel und so frech grinsen, wie ihm beliebt – solange er sicher ist, dass der Empfänger das nicht albern findet. In geschäftlichen Schreiben allerdings sollte man aufs Grinsen verzichten, egal ob freundlich oder frech.

Rechtschreibung und Zeichensetzung

hallo ich wollte sie fragen ob es moeglich ist das sie mir sagen wo ich denn aku bestellen kann den sie auf ihre hompage zeigen und ob in dem preiss von 35 euros die versandtkosten bereit's enthalten sind danke

Irgendein finsteres Wesen aus Mittelerde muss vor langer Zeit das Gerücht in Umlauf gebracht haben, dass im E-Mail-Verkehr sämtliche Regeln der deutschen Orthografie außer Kraft gesetzt seien. Die Überzeugung, man könne in E-Mails so schreiben, wie es einem gerade passt, hat sich jedenfalls weit verbreitet und hält sich hartnäckig.

Wenn jemand aus der Schweiz schreibt und auf das »ß« verzichtet, so ist das sein verbrieftes Recht. Wenn jemand mit einer amerikanischen Tastatur schreibt und deshalb keine Umlaute erzeugen kann, so ist auch das verzeihlich. Allerdings verfügt auch die amerikanische Tastatur über eine sogenannte Shift-Taste, die man hinunterdrücken kann, um Großbuchstaben zu erzeugen. Der vollständige Verzicht auf Großschreibung lässt sich also nicht mit einem Auslandsaufenthalt entschuldigen. Eigentlich lässt er sich mit gar nichts entschuldigen. Mit Coolness oder einem »irgendwie trendigen grafischen Innovationsanspruch« schon gar nicht. Ein Text, in dem alles kleingeschrieben wurde, ist nämlich weder optisch ansprechender, noch ist er leichter zu lesen als ein Text in herkömmlicher Orthografie, im Gegenteil, es bereitet dem deutschen Auge deutlich mehr Mühe, einen kleingeschriebenen Text zu entziffern.

In seinen privaten E-Mails kann selbstverständlich jeder so schreiben, wie es ihm beliebt, sofern er sicher ist, dass es dem Empfänger genauso beliebt. Etwas anderes ist es mit den vielen hunderttausend Mails, die jeden Tag in offizieller Mission verschickt werden: von Geschäftsleuten an ihre

Partner, von Kunden an Anbieter, von Ratsuchenden an Auskunftsstellen, von zufriedenen oder unzufriedenen Wählern an Politiker, von Lesern an Redaktionen und Verlage. Wer glaubt, dass bei dieser Form der Kommunikation die Rechtschreibung keine Rolle spiele, der befindet sich im Irrtum. E-Mail ist nicht dasselbe wie SMS!

Auch vom anderen Extrem, nämlich ALLES KONSEQUENT IN GROSSBUCHSTABEN ZU SCHREIBEN, ist abzuraten. Dies wird von vielen Empfängern als SCHREIEN empfunden, und wer lässt sich schon gerne anschreien? Dasselbe gilt für Sätze in Rotschrift. Wer etwas hervorheben möchte, kann dies zum Beispiel *durch Sternchen* tun, das gilt als wesentlich feiner und ist nicht weniger wirkungsvoll.

Äußerst bedenklich sind solche Mails, die mit einem Hinweis der folgenden Art enden: »bitte entschuldigen sie wenn ich in meiner mail auf die unterscheidung von gross- und kleinschreibung sowie auf umlaute, ß und interpunktion verzichte« – und die dann unterschrieben sind mit »a. kaufmann, diplomübersetzerin« oder »b. liebig, textchef« oder »d. körner, werben und texten«. Daraus ergeben sich für mich zwei Fragen. Erstens: Warum sollte ich das entschuldigen? Und zweitens: Warum sollte ich es ausgerechnet bei einer Diplomübersetzerin, einem Textchef oder einem Werbetexter entschuldigen? Wenn nämlich nicht einmal diejenigen, die die deutsche Sprache zu ihrem Beruf gemacht haben, diese mit der gebotenen Achtung und Sorgfalt behandeln, wie sollen es dann die Heerscharen von verkrachten PISA-Existenzen da draußen?

Der Vertraulichkeitshinweis

Zu guter Letzt: der lästige Rattenschwanz, im Fachjargon auch Disclaimer genannt. Er weist auf die Vertraulichkeit des Inhalts hin und fordert den Empfänger auf, die E-Mail sofort zu löschen, sollte er nicht der richtige Adressat sein. Rund hundert verschiedene Formen dieses Anhangs sind derzeit im Umlauf. Einen tatsächlichen Nutzen, so wurde mir von mehreren sachkundigen Juristen glaubhaft versichert, haben diese Klauseln nicht. Wer wirklich vertrauliche Informationen zu verschicken hat, der wählt dafür andere Wege.

Diese E-Mail enthält vertrauliche und/oder rechtlich geschütze Informationen. Wenn Sie nicht der richtige Adressat sind oder diese E-Mail irrtümlich erhalten haben, informieren Sie bitte sofort den Absender und vernichten Sie diese Mail. Das unerlaubte Kopieren sowie die unbefugte Weitergabe dieser Mail ist nicht gestattet.

This e-mail may contain confidential and/or privileged information. If you are not the intended recipient [or have received this e-mail in error] please notify the sender immediately and destroy this e-mail. Any unauthorised copying, disclosure or distribution of the material in this e-mail is strictly forbidden.

Ungeachtet ihrer Nutzlosigkeit machen diese Vertraulichkeitshinweise inzwischen den größten Teil des elektronischen Postverkehrs überhaupt aus. Man sollte immer damit rechnen, dass der Empfänger einer E-Mail diese ausdruckt. Der Rattenschwanz kostet dabei unnötiges Papier und führt nur zu Verärgerung. Verzichten Sie darauf! Sie wollen doch auch nicht, dass Ihnen der Briefträger vor Aushändigung Ihrer Post jedes Mal eine Rechtsbelehrung erteilt, oder?

Morgens um 8.30 Uhr im Treppenhaus: »Guten Morgen,

Frau Brauer, ich habe hier eine Postkarte für Sie! Ich kläre Sie darüber auf, dass der Inhalt dieser Postkarte vertraulich ist. Sollten Sie nicht die richtige Adressatin sein, so sind Sie verpflichtet, dies umgehend zu melden und/oder die Postkarte sofort und ungelesen zu vernichten. Das Kopieren oder Weiterreichen dieser Postkarte ist nur mit ausdrücklicher Genehmigung des Absenders erlaubt! Einen schönen Tag, Frau Brauer!«

Fazit

Klarheit ist gefordert! Gute Lesbarkeit, lieber eine zu große Schrift als eine zu kleine, ganz normale Sätze mit Subjekt, Prädikat, Objekt, Kommas und einem Punkt am Ende, ein Mindestmaß an Höflichkeit und vor allem: nichts, was blinkt und grell ist, flackert oder pulsiert oder auf sonst eine Art und Weise geeignet wäre, das Auge des Empfängers zu beleidigen. Wer sich an einen ihm persönlich nicht bekannten Adressaten wendet und auf eine Antwort hofft, sollte sich um ein gewisses Maß an Verbindlichkeit bemühen. Fröhlichkeit ist dabei keinesfalls unangebracht, Förmlichkeit aber auch nicht. Eine E-Mail ist wie eine Visitenkarte, sie verrät weit mehr über uns als ihr schierer Inhalt.

Wenn man einen neuen Gedanken beginnt, schadet es nicht, dies durch einen Absatz kenntlich zu machen. Genau wie Punkte und Kommas können auch Absätze zur besseren Lesbarkeit und Verständlichkeit von E-Mails beitragen. Ein strukturierter Text lässt Rückschlüsse auf die strukturierten Gedanken des Schreibers zu.

Und wer sich vor dem Klick auf »Versenden« kurz die Zeit nimmt, das Geschriebene noch einmal selbst zu lesen und gegebenenfalls zu korrigieren, tut nicht nur dem Empfänger, sondern auch sich selbst damit einen großen Gefallen. Eine originelle, eindeutige Betreffzeile, ein gepflegtes Schriftbild mit ausgeschriebenen Wörtern, ein klarer Name und ein klar formuliertes Anliegen erhöhen die Chance um ein Vielfaches, vom Empfänger wahr- und ernstgenommen zu werden.

Zum Thema E-Mail ließe sich noch vieles sagen. Man könnte ohne weiteres ein ganzes Buch damit füllen. Um den Rahmen nicht zu sprengen, habe ich mich auf einige ausgesuchte formale Aspekte beschränkt, die die Oberfläche des Ganzen berühren.

Da E-Mail-Adressen im Unterschied zum guten alten Post-absender selten Rückschlüsse auf die Herkunft des Schrei-bers zulassen, ist es durchaus sympathisch, wenn man am Ende der Mail hinter dem Namen auch den Wohnort nennt. Das lässt den anonymen Versender weniger virtuell erschei-nen und gibt ihm eine real existierende Heimat, ein »menschliches Zuhause«.

In diesem Sinne:
mit freundlichen Grüßen
Ihr Zwiebelfisch, Hamburg

```
><((((º>
¯`·.''.><((((º>
><((((º>¯`·.''. ><((((º>
¯`·.''.><((((º> ¯`·.''.><((((º>
```

Wie gut ist Ihr Deutsch?

Wie sicher sind Sie in Rechtschreibung, Grammatik und Fragen des Stils? Hier können Sie Ihr Wissen testen: 60 Fragen aus dem Fundus der Irrungen und Verwirrungen unseres Sprachalltags, teils leicht, teils knifflig. Nicht immer geht es nur um richtig oder falsch, manchmal wird unter mehreren Möglichkeiten die »optimalste« Lösung gesucht. Manchmal geht es auch um Fremdwörter, denn auch die sind Teil der deutschen Sprache. Wer beide »Dativ«-Bände aufmerksam gelesen hat, der ist bestens gerüstet. Viel Spaß!

1. Vervollständigen Sie diesen Satz: Wer »brauchen« nicht gebrauchen kann, braucht »brauchen« auch nicht
a) verwenden
b) zu benutzen

2. Mit welchen Worten protestiert die verwöhnte Diva korrekt?
a) Eine solche Behandlung bin ich nicht gewohnt!
b) Eine solche Behandlung bin ich nicht gewöhnt!

3. Bei »Lidl« werden modische »body bags« angeboten. Was genau heißt das englische Wort »body bag« auf Deutsch?
a) Rucksack
b) Umhängetasche
c) Leichensack

4. Manchmal ist auch der Akkusativ den Genitiv sein Tod! Wie heißt es richtig?
a) im Sommer diesen Jahres
b) im Sommer dieses Jahres

5. Wohl denen, die leichten Sinnes sind! Welche Form ist richtig:
a) wohlgesinnt
b) wohlgesonnen

6. Da war Frau Meier aber platt! War sie nun
a) baff erstaunt
b) bass erstaunt

7. Post von Inge und Jürgen! Ratet mal, woher?
a) aus Mallorca
b) von Mallorca

8. An der Grenze zu Österreich werden die Fahrzeuge heute alle
a) durchgewinkt
b) durchgewunken

9. Im »Media Markt« werden auch schlaue Bücher verkauft. Zum Beispiel Nachschlagewerke. Man findet sie dort unter der Rubrik »Lexica's«. Wie heißt es richtig?
a) Lexicas
b) Lexika
c) Lexikons

10. Was *unkaputtbar* ist, das ist auf gut Deutsch
a) unverwüstbar
b) unverwüstlich

11. Sehen Sie den mit Muskeln bepackten Bodyguard? Für den hat sich seit der Rechtschreibreform gar nicht so viel geändert. Er schreibt sich immer noch gleich. Ist er demnach

a) ein Muskel bepackter Bodyguard
b) ein muskelbepackter Bodyguard
c) ein Muskel-bepackter Bodyguard

12. Die Bewohner des Iraks heißen auf Deutsch
a) Iraker
b) Iraki
c) Irakis

13. Hierüber sind die Meinungen gespalten: Heißt es
a) ausgeschalten
b) ausgeschaltet

14. Vervollständigen Sie den Satz: Ich kann morgen nicht kommen, weil ...
a) ich habe irre viel zu tun.
b) ich habe sehr viel zu tun.
c) ich irre viel zu tun habe.

15. Wenn EU-Bürger nach Russland reisen, dann brauchen sie
a) Visas
b) Visa
c) Visums

16. Ob Kommas oder Kommata – Hauptsache, man setzt sie an der richtigen Stelle. Welche Kommasetzung ist hier richtig?
a) Ohne dass der Chef davon wusste hatte Meier, mehrere Millionen transferiert.
b) Ohne, dass der Chef davon wusste, hatte Meier mehrere Millionen transferiert.
c) Ohne dass der Chef davon wusste, hatte Meier mehrere Millionen transferiert.

17. Der Film »Mona Lisas Lächeln« wurde mit zwei Sprüchen beworben. Auf dem Kinoplakat stand zunächst der falsche. Auf der DVD-Hülle war der Satz dann berichtigt. Welcher ist der richtige?
a) In einer Welt, die ihnen vorschrieb, wie man lebt, lehrte sie sie, wie man denkt.
b) In einer Welt, die ihnen vorschrieb, wie man lebt, lehrte sie ihnen, wie man denkt.

18. Meiner Überzeugung nach war Kolumbus kein Portugiese. Was wissen Sie darüber?
a) Meines Wissens nach stammte Kolumbus aus Genua.
b) Meines Wissens stammte Kolumbus aus Genua.

19. Der Minister und die Finanzkrise. Welcher der folgenden drei Sätze ist korrekt?
a) Der Minister sprach von einem zeitweisen Engpass.
b) Der Minister sprach von einem zeitweisem Engpass.
c) Der Minister sprach von einem zeitweiligen Engpass.

20. Richtiges Befehlen will gelernt sein. Welcher Imperativ ist korrekt?
a) Bewerb' dich doch beim Militär!
b) Bewirb dich doch beim Militär!
c) Bewerbe dich doch beim Militär!

21. Etwas geschieht auf seltsame Weise. Anders ausgedrückt:
a) sonderbarer Weise
b) sonderbarer weise
c) sonderbarerweise

22. Die optimale Lösung ist Ihnen nicht genug? Für welche entscheiden Sie sich dann?
a) die optimalste Lösung

b) die bestmöglichste Lösung
c) die beste Lösung

23. Welche beiden Pluralformen des Wortes »Globus« sind im Deutschen erlaubt?
a) Globi und Globen
b) Globusse und Globen
c) Globoï und Globusse

24. Kleine Gedenkminute. Wie heißt es richtig?
a) Wir gedenken der Opfer
b) Wir gedenken an die Opfer
c) Wir gedenken den Opfern

25. Eine Zone, in der es keine atomaren Waffen gibt, ist
a) eine Atomwaffen freie Zone
b) eine Atomwaffen-freie Zone
c) eine atomwaffenfreie Zone

26. Noch irgendwelche Fragen? Ach ja! Wie schreibt man …
a) irgendwoher
b) irgendwo her
c) irgend woher

27. Niemand weiß, wann der Kanzler kommt. Ich persönlich habe starke Zweifel, …
a) ob er überhaupt noch kommt.
b) dass er überhaupt noch kommt.

28. Dem jungen Arthur gelang es als Einzigem, das Schwert aus dem Stein …
a) hinauszuziehen
b) herauszuziehen

29. Wie wird das »oe« in den deutschen Ortsnamen Soest, Oldesloe, Coesfeld und Itzehoe korrekt ausgesprochen?

a) »ö«

b) »o-e«

c) »oo«

30. Obwohl sie alle nach dem gleichen Muster gestrickt sind, ist nur einer der drei folgenden Sätze grammatisch korrekt. Welcher?

a) Der Wind peitschte mich ins Gesicht.

b) Der Indianer biss mich ins Bein.

c) Die Sonne stach mich ins Auge.

31. Wer ist die »First Lady« Deutschlands?

a) Doris Schröder-Köpf

b) Angela Merkel

c) Eva Köhler

32. Nachts ist es kälter als draußen. Und nur einer der drei folgenden Sätze ist richtig. Welcher?

a) In Spanien herrschen wärmere Temperaturen als in Deutschland.

b) In Deutschland herrschen kühlere Temperaturen als in der Sahara.

c) In der Sahara herrschen höhere Temperaturen als in Spanien.

33. Der Arzt verschrieb seinem Patienten ...

a) ein Antibiotikum

b) ein Antibiotika

c) Antibiotikas

34. Was für den Dänen gut ist, ist für alle Dänen gut. Wie steht es mit uns?

a) Was für uns Deutsche gut ist, ist für alle Deutsche gut!

b) Was für uns Deutsche gut ist, ist für alle Deutschen gut!

c) Was für uns Deutschen gut ist, ist für alle Deutschen gut!

35. Aus diesem Zug bitte alle aussteigen! Wie geht die Ansage richtig weiter?

a) Diese Zugfahrt endet hier!

b) Dieser Zug endet hier!

c) Dieser Zug verendet hier!

36. Er sagte, nun wachse zusammen, was zusammengehöre. Inzwischen sind zahlreiche Straßen und Plätze nach ihm benannt. Welche Benennung ist richtig?

a) Willy Brandt Platz

b) Willy Brandt-Platz

c) Willy-Brandt-Platz

37. Welche der folgenden Aussagen ist nicht deutschen Ursprungs, sondern entstand durch Übersetzung aus dem Englischen?

a) Das ist sinnvoll.

b) Das macht Sinn.

c) Das hat einen Sinn.

38. An Ostern, auf Ostern, zu Ostern – die Dialekte kennen viele Möglichkeiten. Doch wie sagt man es auf Hochdeutsch am besten?

a) Wir sehen uns zu Ostern wieder.

b) Wir sehen uns an Ostern wieder.

c) Wir sehen uns Ostern wieder.

39. Die Geldbörse darf man nach neuer Rechtschreibung *Portmonee* schreiben. Wie sieht die klassische Schreibweise aus?

a) Portemonnaie
b) Portmonée
c) Portemonnée

40. Wer ein Thema zur Sprache bringt, der bringt es
a) aufs Tablett
b) aufs Trapez
c) aufs Tapet

41. Welche der drei Varianten ist die richtige, wenn man in einem Brief die Frau und den Schwager des Adressaten grüßen lässt?
a) Bitte grüßen sie ihre Frau und ihren Bruder von mir!
b) Bitte grüßen Sie Ihre Frau und Ihren Bruder von mir!
c) Bitte grüßen Sie Ihre Frau und ihren Bruder von mir!

42. Man nennt Mireille Mathieu bei uns in Deutschland auch
a) den Spatz von Paris
b) den Spatz von Avignon
c) den Spatzen von Avignon

43. Wer allem Anschein nach nicht zugehört hat, der hat …?
a) anscheinend nicht zugehört
b) scheinbar nicht zugehört
c) anscheinbar nicht zugehört

44. Das Kurzwort für Information lautet Info. Wie schreibt man es im Plural?
a) Info's
b) Infos

45. Beates T-Shirt ist orange. Das lässt sich freilich auch anders sagen. Standardsprachlich ist nur eine Variante zulässig – welche?

a) Beate trägt ein orangenes T-Shirt.

b) Beate trägt ein oranges T-Shirt.

c) Beate trägt ein orangefarbenes T-Shirt.

46. Was sich in der Nähe des Flusses befindet, das befindet sich ...

a) nahe des Flusses

b) nahe dem Fluss

47. Ich bin nicht ganz so groß wie Peter, denn Peter ist ein paar Zentimeter ...

a) größer wie ich

b) größer als ich

c) größer als wie ich

48. Zwei Züge treffen nach unterschiedlich langer Fahrt zur selben Zeit im Bahnhof ein. Sie erreichen den Bahnhof demnach ...

a) gleichzeitig

b) zeitgleich

49. Die Abkürzung p. a. bedeutet »jährlich/aufs Jahr« und steht für ...

a) per anno

b) pro anno

c) per anum

50. Die Bewohner des südamerikanischen Landes Venezuela nennt man ...

a) Venezolaner

b) Venezueler

c) Venezulanen

51. Bei gefährlichen Einsätzen tragen Polizisten bisweilen ...

a) Schutzschilde
b) Schutzschilden
c) Schutzschilder

52. Was seltsam, drollig, verschroben ist, das ist mit einem anderen Wort...
a) skuril
b) skurill
c) skurril

53. Nachdem Frau Buck die Fenster geputzt hatte, ...
a) hing sie die Wäsche auf die Leine
b) hängte sie die Wäsche auf die Leine

54. Ich würde mir wünschen, der Winter würde vorbeigehen und der Frühling würde kommen. Das lässt sich auch besser sagen, nämlich wie?
a) Ich wünschte, der Winter geht endlich vorbei und der Frühling kommt.
b) Ich wünschte, der Winter gehe endlich vorbei und der Frühling komme.
c) Ich wünschte, der Winter ginge endlich vorbei und der Frühling käme.

55. Immer schön der Reihe nach, und zwar...
a) einer nach dem anderen
b) einer nach dem Nächsten

56. Der Betriebsausflug fällt leider ins Wasser. Auf Hochdeutsch fällt er aus...
a) wegen schlechtem Wetter
b) wegen schlechten Wetters
c) wegen schlechtes Wetter

57. Immer mehr Menschen kommunizieren mittels elektronischer Post. Das schreibt sich auf gut Deutsch
a) E-Mail
b) eMail
c) Email

58. In der Antike wurden die Mauern einer eroberten Stadt oft niedergerissen. Sie wurden mit anderen Worten
a) geschleift
b) geschliffen

59. Wer unter Mordverdacht steht, der ist ...
a) ein vorgeblicher Mörder
b) ein mutmaßlicher Mörder
c) ein vermeintlicher Mörder

60. Alle Jahre wieder feiern wir ...
a) Sylvester
b) Silvester

Antworten:

1. Antwort **b** ist korrekt, denn im Unterschied zu »müssen« und »dürfen« erfordert »brauchen« nach wie vor den Infinitiv mit »zu«.

2. Antwort **a** ist richtig. Es heißt »etwas gewohnt sein« oder »sich an etwas gewöhnt haben«.

3. Schaurig, aber wahr: Antwort **c** ist richtig.

4. Antwort **b**. Der Genitiv der sächlichen Pronomen »dieses« und »jenes« lautet »dieses« und »jenes«.

5. Antwort **a** ist korrekt; »wohlgesinnt« ist ein Adjektiv, das vom Substantiv »Sinn« abgeleitet wurde; es unterscheidet sich von den (unregelmäßigen) Verben besinnen, entsinnen, ersinnen und nachsinnen, die ein Perfektpartizip auf -sonnen haben.

6. Man kann entweder baff (das heißt: verblüfft) sein oder bass (das heißt: sehr) erstaunt sein, aber nicht baff erstaunt. Antwort **b** ist daher richtig.

7. Antwort **b** ist richtig. Man kann zwar Post *aus* Spanien bekommen, aber nicht *aus* einer Insel. Daher heißt es *von* Mallorca.

8. Antwort **a** ist richtig. Die Form »durchgewunken« gibt es gar nicht, denn winken wird (wie hinken) regelmäßig gebildet: winken, winkte, gewinkt. Wäre »winken« ein unregelmäßiges Verb, müsste es im Präteritum auch »wank« heißen, so wie bei »sinken, sank, gesunken«.

9. Antwort **b** ist richtig. Daneben gibt es auch noch die Form »Lexiken«. So steht's im Lexikon.

10. Korrekt ist Antwort **b**. Antwort a wäre »unverzeihbar«.

11. Antwort **b** ist richtig. Wer mit Muskeln bepackt ist, ist muskelbepackt.

12. Antwort **a** ist richtig: Iraker. Die Formen »Iraki« und »Irakis« sind Anglizismen, abgeleitet vom Englischen »Iraqi/Iraqis«.

13. Antwort **b** ist richtig. Das Verb schalten wird regelmäßig gebeugt: schalten, schaltete, geschaltet – genau wie gestalten, verwalten und falten.

14. Richtig kann nur Antwort **c** sein, weil im Nebensatz das Prädikat immer am Ende steht.

15. Antwort **b**. Die Einzahl lautet Visum, die Mehrzahl Visa.

16. Antwort **c**. Es genügt ein Komma, das den Nebensatz vom Hauptsatz trennt. Die Konjunktion »ohne dass« wird nie durch Komma getrennt.

17. Antwort **a** ist korrekt, hinter »lehren« stehen sowohl die Sache als auch die Person im Akkusativ.

18. Antwort **b** ist korrekt. Im Genitiv ist die Präposition »nach« überflüssig.

19. Korrekt ist Antwort **c**. »Zeitweilig« ist ein Adjektiv und kann als Attribut dienen, »zeitweise« ist ein Adverb und kann nicht als Attribut gebraucht werden.

20. Antwort **b** ist korrekt, der Imperativ von »bewerben« lautet »bewirb«!

21. Da hier nicht nach einem kauzigen Gelehrten gefragt wurde, kommt nur Antwort **c** in Betracht: Adverbien auf -weise werden stets und ausnahmslos in einem Wort geschrieben!

22. Richtig ist Antwort **c**: »die beste Lösung«. Optimal bedeutet bereits »das Beste im Rahmen der Möglichkeiten«, die Steigerung zur »optimalsten Lösung« ist daher nicht sinnvoll. Und die »bestmögliche« Lösung wäre noch vorstellbar, die »bestmöglichste« aber nicht.

23. Richtig ist Antwort **b**. möglich sind die Formen Globusse und Globen.

24. Richtig ist Antwort **a**: »Wir gedenken der Opfer«. Das Verb »gedenken« wird mit Genitiv und ohne die Präposition »an« gebraucht.

25. Richtig ist Antwort **c**: eine atomwaffenfreie Zone.

26. Richtig ist Antwort **a**, »irgendwoher« wird in einem Wort geschrieben, genau wie irgendwohin, irgendwann, irgendwer, irgendwie, irgendjemand und irgendetwas.

27. Richtig ist Antwort **b**: Der Objektsatz hinter »Zweifel haben an«, »zweifeln« und »bezweifeln« wird mit »dass« eingeleitet.

28. Antwort **b** ist richtig: »hin« bezeichnet die Richtung vom Subjekt weg, »her« die Richtung auf das Subjekt zu.

29. Richtig ist Antwort **c**: »oo«. Das »e« dient nicht dazu, einen Umlaut zu erzeugen, und es ist hier auch kein Eigenlaut, sondern dient der Dehnung des »o«-Lautes.

30. Antwort **b** ist korrekt. Bei Verben der körperlichen Berührung (zum Beispiel schlagen, peitschen, beißen, stechen) steht das Objekt immer im Dativ, wenn das Subjekt unpersönlich (Wind, Sonne) ist. Nur wenn das Subjekt eine Person (Indianer) ist, kann das Objekt auch im Akkusativ stehen. Bei a und c muss es also »mir« heißen, bei b geht sowohl »mich« als auch »mir«.

31. Antwort **c** ist korrekt. Der Begriff »First Lady« wird von vielen Journalisten oft als »Frau des Regierungschefs« missverstanden. Er bezeichnet aber die Frau des Staatsoberhauptes. In den USA sind Staatsoberhaupt und Regierungschef ein und dieselbe Person, in Deutschland aber nicht.

32. Temperaturen können nur hoch oder niedrig sein, daher ist Antwort **c** korrekt.

33. Antwort **a**. Die Einzahl lautet Antibiotikum, die Mehrzahl Antibiotika.

34. Richtig ist Antwort **b**. Siehe Tabelle auf Seite 44.

35. Antwort **a** ist korrekt. Die Zugfahrt endet im Bahnhof, der Zug hingegen endet am hinteren Ende des letzten Waggons.

36. Richtig ist Antwort **c**, weil »Willy« genauso zum Platz gehört wie »Brandt«.

37. Antwort **b**, aus dem Englischen »That makes sense«. Die bessere Wahl im Deutschen sind die Antworten a und c.

38. Die Lösung lautet **c**. Die Hochsprache kommt bei Feiertagen ohne Präposition aus.

39. Richtig ist Antwort **a**. Diese klassische Schreibweise ist – neben der neuen – übrigens noch immer erlaubt.

40. Antwort **c**: »Tapet« ist französisch und bezeichnet den Stoffbezug eines Konferenztischs.

41. Antwort **c** ist richtig; denn es gilt zu unterscheiden zwischen der Höflichkeitsform »Sie« und dem Personalpronomen »sie«: »Ihre« Frau = die Frau des Adressaten; »ihren Bruder« = deren Bruder, also der Schwager des Adressaten. Hieße es »Ihren Bruder«, wäre der Bruder des Adressaten gemeint (und nicht sein Schwager).

42. Der Spatz von Paris war Edith Piaf, Mireille Mathieu stammt aus Avignon, und der Spatz wird in Dativ und Akkusativ zum Spatzen. Richtig ist daher Antwort **c**.

43. Antwort **a** ist richtig. »Anscheinend« heißt »dem Anschein nach«, »scheinbar« bedeutet »nur zum Schein«, »nicht in Wirklichkeit«. Das Wort »anscheinbar« existiert nicht.

44. Allen falschen T-Shirt's, CD's und Video's zum Trotz: Das Plural-»s« wird niemals mit Apostroph abgetrennt! Korrekt ist Antwort **b**.

45. Die Lösung lautet **c**. Farbadjektive, die von Hauptwörtern abgeleitet wurden, werden nicht gebeugt. Daher ist entweder nur »ein orange T-Shirt« oder eben »ein orangefarbenes T-Shirt« möglich. Dasselbe gilt für beige, türkis und viele andere mehr.

46. Die Präposition »nahe« erfordert den Dativ! Korrekt ist Antwort **b**.

47. Antwort **b**. Im Hochdeutschen folgt nach dem Komparativ stets das Wörtchen »als«. Der Gebrauch von »wie« oder »als wie« ist mundartlich.

48. Richtig ist Antwort **a**; denn »gleichzeitig« bezieht sich auf den Zeitpunkt, während sich »zeitgleich« auf die Dauer bezieht.

49. Antwort **b** ist korrekt. Pro (= für) regiert den Ablativ, und der Ablativ von »annus« (= Jahr) lautet anno.

50. Korrekt ist Antwort **a**.

51. Lösung **a** ist richtig. Denn es heißt zwar »das Straßenschild, die Straßenschilder«, aber »der Schutzschild, die Schutzschilde«.

52. Richtig ist Lösung **c**.

53. Das transitive Verb »hängen« wird regelmäßig gebeugt: hängen, hängte, gehängt. Richtig ist Antwort **b**.

54. Im Irrealis ist Konjunktiv II erforderlich, Antwort **c** ist daher richtig.

55. Antwort **a** ist korrekt, Antwort b ist häufig zu hörender Unsinn.

56. Auf Hochdeutsch steht hinter »wegen« nach wie vor der Genitiv, daher ist Antwort **b** korrekt.

57. Denken Sie an U-Bahn, O-Ton und E-Musik, dann kommen Sie auf Antwort **a**!

58. Richtig ist **a**: Diamanten und Klingen werden geschliffen, Festungen und Mauern geschleift.

59. Richtig ist **b**, denn nur »mutmaßlich« hat die Bedeutung »vermutlich«. Die Wörter »vorgeblich« und »vermeintlich« schließen aus, dass es sich bei dem Verdächtigen tatsächlich um einen Mörder handelt.

60. Lösung **b** ist korrekt: Der letzte Tag des Jahres ist nicht nach Sylvester Stallone benannt, sondern nach Papst Silvester.

Stichwortverzeichnis

Aachen 146, 148, 152
Abkürzungen 101, 141, 239–241
Adjektiv 82 f., 138–143
Advent 182
Adverbien 138 f., 162–167
Adverbiale Bestimmungen 50–53
Affleck, Ben 92 f.
Alberich 62
Albtraum/Alptraum 62 f.
als 54, 205–208
Altkanzler 105
Anders, Thomas 104
Anführungszeichen 197–202, 203 f.
angeschalten/ angeschaltet
    150–154
Anglizismus, Anglizismen 32 f.,
    52–54, 55, 98, 100 f., 134 f., 159 f.,
    210–212, 213 f.
ankündigen 72–75
Anrede 43, 70 f., 107–111, 233
Anredepronomen 107–111
Apfelrest 170–175
Apostroph 49, 120–123, 202
Arbeit 228 f.
Archimedes 130
Asterix 111
Attacke 89 f., 92
Aufzählung 53 f., 204
ausgepowert 213 f.
Backgammon 55
Backshop 32
Bad Oldesloe 124
Baden, Badisch 152, 175
Bardot, Brigitte 211
Bayern, Bayerisch 112, 122, 155 f.,
    166 f., 175, 231
Berlin, Berliner, Berlinerisch 37, 117,
    122 f., 125, 139, 146, 174, 207, 209
Betreffzeile 232, 235, 246
Billion/Milliarde 91
Bindestrich 32–36, 105, 121 f.,
    138–142, 231
Boiler 92
Bonifatius 100 f.

Buddenbrooks 125
Bush, George W. 74, 102, 205, 223
Busch, Wilhelm 33
Cäsar 111
Champs-Élysées 188
chic/schick 210, 212, 213 f.
Chirac, Bernadette 93
Clinton, Hillary 93
Coesfeld 124
DAAD 35
das/dass 113–117
Dassin, Joe 188
Dativ 19–22, 23 f., 64–69, 70 f., 76,
    145–148, 221–223
Datumsangaben 76
Dauner Maar 161
DDR 104, 200
Dehnungszeichen 124 f.
Dekade 96–99
Delon, Alain 211
Deneuve, Catherine 211
Deutsche/Deutschen, Deutsch
    39–42, 226–229
Ding an der Kasse 136 f.
Dokkum 101
Donau 87 f.
doof 37 f.
drohen 72–75
eben/ebend 209
ehemalig/damalig 102–105
einfrieren/eingefrieren 155 f.
Elbe 37, 87 f.
E-Mail 34 f., 107, 109, 230–247
Emoticons 230, 239–241
Englisch 32 f., 53 f., 55, 89–93, 94 f.,
    97 f., 100 f., 115, 134 f., 159 f., 183 f.,
    187, 210–212, 213 f., 226 f.
Ex- 102–105
Fashion 212
Faust 195 f.
Feldbusch, Verona 145
Fischer, Joschka 206
Fontane, Theodor 173
Förderer/Förderin 220

Frankreich, Französisch 29, 87 f.,
  115, 131, 168, 187 f., 190, 210–212,
  213 f., 228
Fugen-s 182
Funès, Louis de 211
gebadet/gebaden 152 f.
gefaltet/gefalten 152, 154
Gänsefüßchen 198 s. a.
  Anführungszeichen
Genitiv 19–22, 66–69, 77, 146, 218,
  221–223
Gesundheitsclub 91
Getrenntschreibung 32–36, 56–61,
  138–143
getürkt 224 f.
Gitti & Erika 162
Goethe, Johann Wolfgang von 14,
  141, 196, 199
Goldt, Max 137
-haft (Endsilbe) 82 f.
halt 112
Heidi 162–167
helfen, jmdm. 48, 80, 145
herauf/hinauf 162–167
Herr/Herren 70 f.
Herr werden 20 f.
hinein/herein 162–167
Hitler, Adolf 207 f.
HTML 237 f.
Imbiss-Deutsch 27
Imperativ (Befehlsform) 44–48, 49
Imperfekt/Präteritum 25–28,
  29–31, 80, 150–154
Inversion 157–160
Irrealis 77–81
Itzehoe 124
Jahrhundert 96–99
Jahrzehnt 96–99
jobmäßig 132
Kahlbutz, Ritter Christian
  Friedrich von 19
Kampehl 19
Kandidat 65, 68
Kassentoblerone 137
Kerngehäuse 170–173
Kidman, Nicole 211
Köhler, Horst 41, 65,
Köln 146 f., 185 f.

Komma 50–54, 246
Komparativ 37 f.
Konjunktionen 115, 158 f.
Konjunktiv 77–81
kondolieren 217
Konklave 217 f.
kosten, jndn. etwas 145
Krämer, Walter 224 f.
Krebs, Dieter 209
Kreise 126–130
lahm legen 59–61
laut 221–223
lehren, jdn. etwas 147
Lemmon, Jack 135
Lexikon, Lexika 123
Lifestyle 210
LOL 239–241
Lübeck 125
Maar 161
Maas 88
-mäßig 132–135, 141
Mann, Thomas 125
Mathieu, Mireille 210, 255, 263
McCartney, Paul 144
Mecklenburg-Vorpommern 124 f.,
  174, 209
Meer 161
Merkel, Angela 20, 141, 253
mfg 239 f.
Millennium 97 f.
Mittlerer Osten 94 f.
Mosel 87 f.
Myhre, Wencke 86
nachmittägig/nachmittäglich 118
Naher Osten 94 f.
Nebensatz 50–54, 74, 157–160
Neckar 88
Niederdeutsch s. *Nordeutschland,
  Norddeutsch*
Niederlande, Niederländisch 94,
  101, 115, 161, 227
Nikolaus 23 f.
Norddeutschland, Norddeutsch 37,
  49, 100 f., 112, 124 f., 161, 166,
  170 f., 174, 214
Nullziger 98 f.
obwohl 116, 157–160
Oelwein, Philipp 33

Österreich 40, 122, 151 f., 167, 175,
    182, 231
Papst 110, 168, 183, 215–218, 265
Pardon 210
Paris 187 f.
Perscheid, Martin 202
Pilger 216 f., 220
Place de l'Étoile 187 f.
Potter, Harry 30, 220, 237
Prädikat 52–54, 157–160, 246
Präsident 65, 69, 102–105, 205 f.
Pronomen 41 f., 107–111, 113–117, 223
provokant/provokativ/
    provozierend 131
Puff 55
Radebrechen 144
Randecker Maar 161
Rapunzel 167
Rau, Johannes 102, 105
Rechtschreibreform 56–61, 62 f.,
    107–111, 115–117, 120 f., 141
Redewendungen 85 f., 92 f., 106,
    149, 189–194, 195 f., 224 f.
Rhein 87 f.
Rheinland, Rheinisch 146 f.,
    183–186, 174
Rhone 87 f.
Rosenthal, Hans 134
Ruhrgebiet 37, 146, 174, 177, 186,
    209
Sachsen, Sächsisch 152, 174
Samstag 100 f., 120, 181
Sanktionen/sanktionieren 168 f.
Sauer, Wolfgang 224
schick/chic 210, 212, 213 f.
Schneid 149
Schröder, Gerhard 72, 84 f., 86,
    102 f., 141, 223
Schwaben, Schwäbisch 114, 155,
    161, 175
Schweiz 137, 171 f., 175, 176, 214, 231
sensibel/sensitiv 91
September, 11. 66 f., 89
Sernf 176
Sick 125
Signatur 233 f.
Silikon/Silizium 90 f.

Smileys 230, 239–241
SMS 240, 243
Soest 124
Sonnabend 100 f.
Sprichwörter 189–194 s. a.
    Redewendungen
Stallone, Sylvester 265
Steffel, Frank 86
Stehcafé 32, 36
Steinhuder Meer 161
stilllegen 59 f.
Stoiber, Edmund 86, 147
Strait, George 102
Suffix 132–135
Superlativ 38
Swank, Hillary 211
Syntax 157–160
Tamagotchi 90
Tell, Wilhelm 171
tod/tot 215 f., 218 f.
Torschlusspanik 106
Tour Montparnasse 187 f.
Truss, Lynne 53
Tür/Türe 23 f., 122
türken 224 f.
Türkei, Türken, Türkisch 95, 140,
    143, 224 f., 227
Twain, Mark 183, 186
Verben der Berührung 23 f.
Vergissmeinnicht 21
Verlaufsform 183–186
Verwandte/Verwandten 43
Wanderer/Wanderin 217, 220
Warentrenner 136 f.
wegen 221 f.
weil 157–160
wie (Vergleichspartikel) 54
Wilder, Billy 134 f., 211
Willis, Bruce 46, 211
Winnetou 85
Wismar 124
Wum und Wendelin 181
Zauberer/Zauberin 220
Zusammenschreibung 32–36, 39,
    56–61, 105, 138–143
zweijährig/zweijährlich 118
Zwischenahner Meer 161

Kennen Sie die Nummer 1 schon?

Bastian Sick
Der Dativ ist dem Genitiv sein Tod
Ein Wegweiser durch
den Irrgarten der deutschen Sprache
KiWi 863
Originalausgabe

Noch nie sorgte ein Buch über den richtigen Umgang mit der deutschen Sprache für ein solches Aufsehen und begeisterte Hunderttausende von Lesern wie Bastian Sicks »Der Dativ ist dem Genitiv sein Tod«.
Mit Folge 1, von der bislang über eine Million Exemplare verkauft wurden, gelang Bastian Sick ein kleines Wunder. Plötzlich lasen viele Menschen über Interpunktion, den korrekten Plural oder guten Stil im Deutschen. Gleichzeitig gewannen sie neues Vertrauen in das eigene Sprachgefühl.

»Man spürt das Vergnügen, das der Umgang mit gutem Deutsch bereitet ... Sicks Geheimnis ist seine Heiterkeit.« *FAZ*

»Wo der Duden nicht weiter weiß, weiß Sick Rat.«
Saarbrücker Zeitung

»Lesen, lachen, merken!« *Coburger Tageblatt*

Paperbacks bei Kiepenheuer & Witsch www.kiwi-koeln.de

Theo Roos
Philosophische Vitamine

Die Kunst des guten Lebens
Mit zahlreichen Illustrationen von Nikolaus Heidelbach
KiWi 866
Originalausgabe

Seit Sokrates lehren Philosophen die Kunst, ein gutes Leben zu führen. Diese Tradition der Philosophie als Lebensanleitung und praktische Ratgeberin reicht bis in die heutige Zeit. Theo Roos stellt einige der wichtigsten Philosophen der Lebenskunst vor und erzählt von deren Lebensweise und Lebensweisheit. Dabei veranschaulicht er zentrale Gedanken der Philosophen, zeigt ihre Haltung, ihre Art zu philosophieren und zu sein.

»Theo Roos ist ein aktuelles Kompendium der praktischen Philosophie gelungen, von der Antike bis zur Moderne. Philosophen und Philosophinnen werden auf undogmatische und persönliche Weise präsentiert, ihre zentralen Gedankengänge verwandelt in sprudelnde Vitamine. Die ›Philosophischen Vitamine‹ lassen sich wie gute Songs genießen, begleitet von den sehr schönen Zeichnungen des Illustrators Nikolaus Heidelbach.«
Deutschlandfunk

Paperbacks bei Kiepenheuer & Witsch www.kiwi-koeln.de